A-Z ROMFORD a

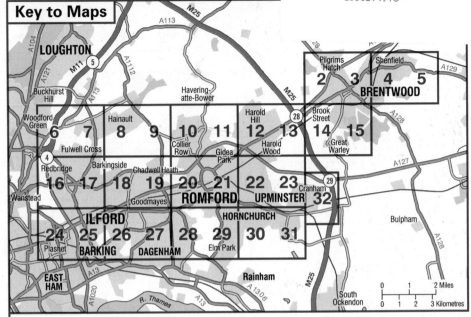

Reference

Motorway	**M25**	
A Road	**A12**	
B Road	**B177**	
Dual Carriageway		
One-way Street Traffic flow on A Roads is indicated by a heavy line on the drivers' left.		
Restricted Access		
Pedestrianized Road		
Track & Footpath		
Residential Walkway		
Railway	Level Crossing / Station / Tunnel	
Underground Station	Symbol is the registered trade mark of Transport for London	

Built-up Area	OLIVE ST.
Local Authority Boundary	
Postcode Boundary	
Map Continuation	12
Junction Name	MOBY DICK
Church or Chapel	†
Fire Station	■
Hospital	H
House Numbers A & B Roads only	86 3
Information Centre	🅸
National Grid Reference	550

Police Station	▲
Post Office	★
Toilet with Facilities for the Disabled	♿
Educational Establishment	
Hospital or Hospice	
Industrial Building	
Leisure or Recreational Facility	
Place of Interest	
Public Building	
Shopping Centre or Market	
Other Selected Buildings	

Scale
1:15,840
4 inches to 1 mile

0 — ¼ — ½ — ¾ Mile
0 — 250 — 500 — 250 — 1 Kilometre

6.31 cm to 1 kilometre
10.61 cm to 1 mile

Geographers' A-Z Map Company Limited

Head Office:
Fairfield Road, Borough Green, Sevenoaks, Kent TN15 8PP
Tel: 01732 781000 (General Enquiries & Trade Sales)

Showrooms:
44 Gray's Inn Road, London WC1X 8HX
Tel: 020 7440 9500 (Retail Sales)
www.a-zmaps.co.uk

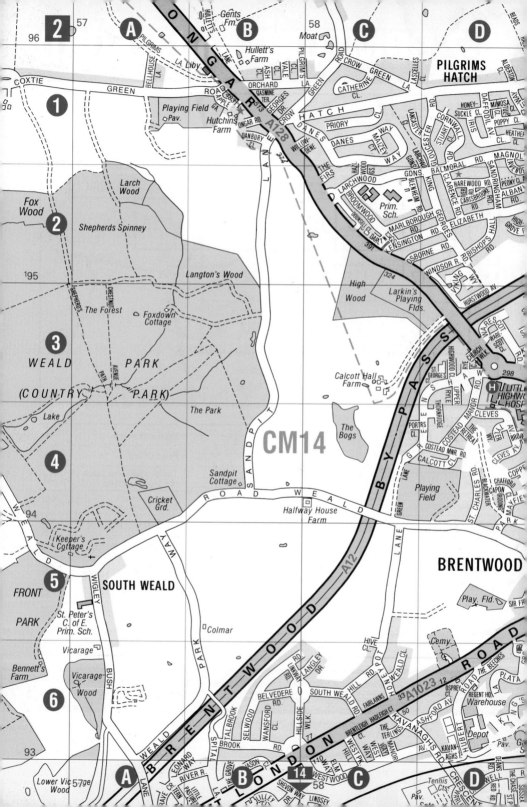

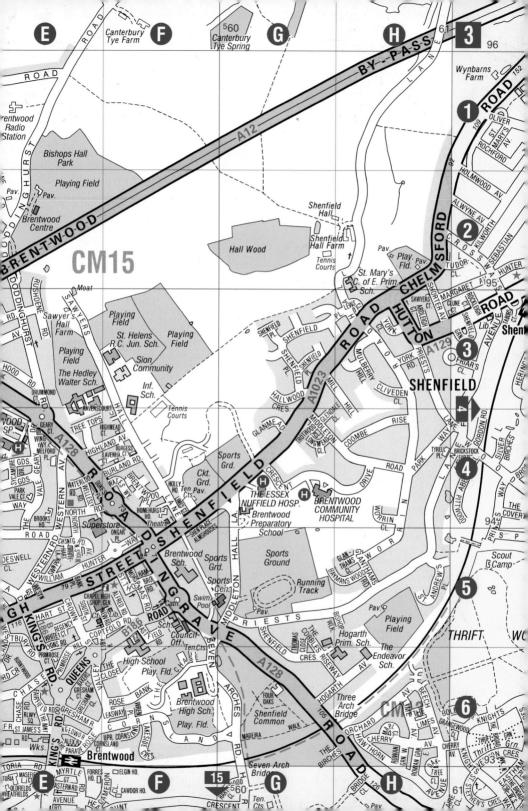

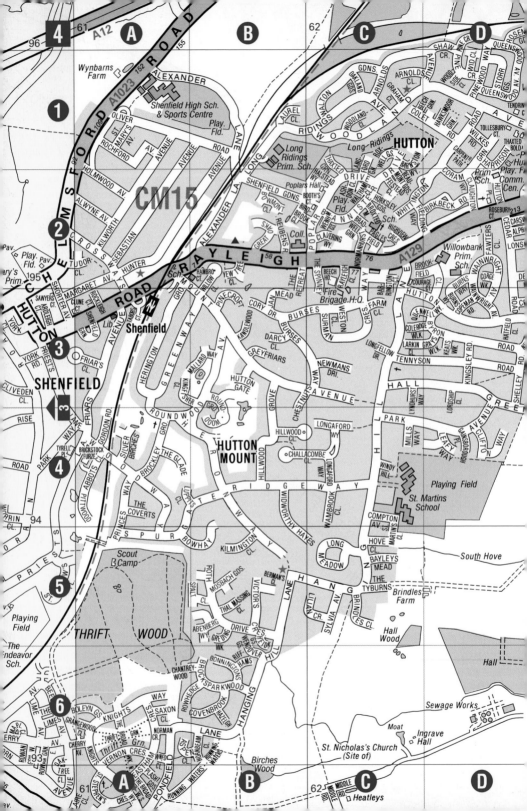

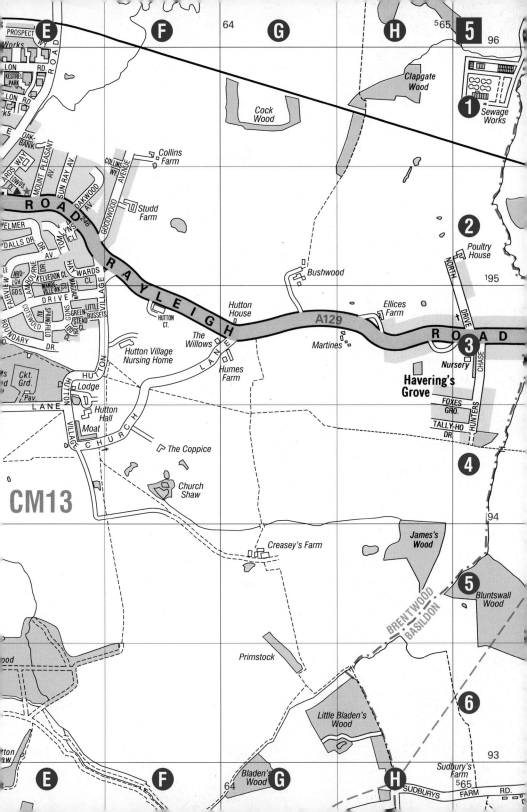

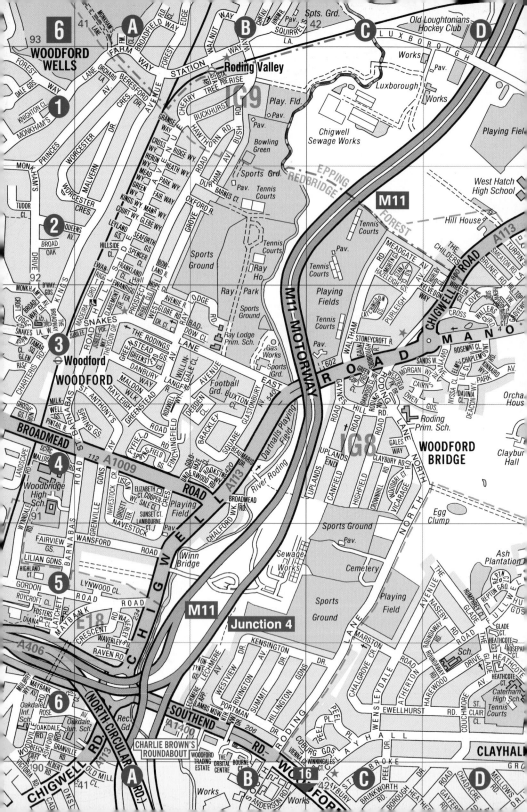

HAINAULT FOREST
(COUNTRY PARK)

Park Fa.

Low
F

1

Refreshment
Room
Fox
Burrows

HAINAULT FOREST
GOLF COURSE

The Lake

Willoughby's
Hill

2

**Havering
Park**

Old Hainault
Oak

Dog Kennel
Hill

Nursery

92 PENN.
CL.

Hainault
BUS. PK.

BEAVER

ROAD

ROAD

Hainault
INDUSTRIAL
ESTATE

Reservoirs
(Covered)

Riding
School

STAPLE

Works

Hainault
Lodge

Club
Ho.

Golf
Practice
Ground

3

Hog Hill

10

Havering
Lodge

FRINTON RD.

TAYLOR
CL.

Forest
Farm

Cold Blow
Farm

4

WALSING.

BROWNING
RD.

HAMLET

LODGE

Rec
Gr

Water

ROMFORD

WHALEBONE

ROAD

B174

HOG HILL RD.

91

COL

RM6

RM5

SUNGATE COTTS

ROW

LONGVIEW VS.
CHASEWAY COTTS.
OLD SUNGATE
COTTS.

CROWN ROAD

Gol
Fa

5

Works

Football
Grd.

Marks Gate

COLLIER

PROVIDENCE
PL.

NORTHGATE
INDUSTRIAL
PARK

River

LANE

A1112

Bowling
Alley
Nursery

Whites
Farm

6

Furze
Cottage

Furze House
Farm

FIRZE FM.
CL.

NORTH

Mill Far

190

REDBRIGE and DAGENHAM
BARKING

KINGSTON

BILLET

KINGSTON
CL.

KINGSTON
GRD.

BEANSLAND
GRD.

HILL AV.

HILL AV.

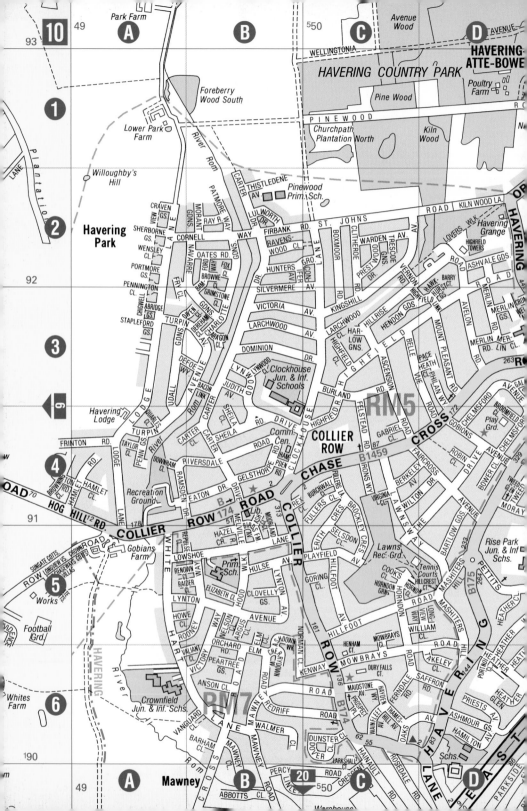

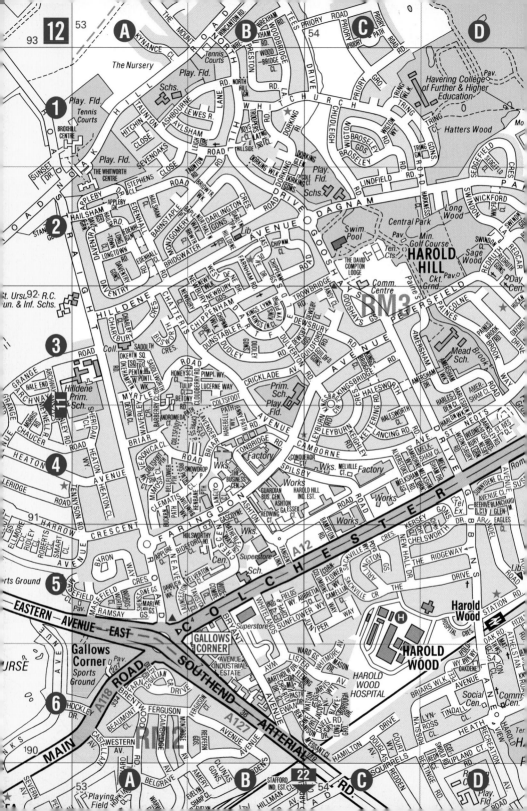

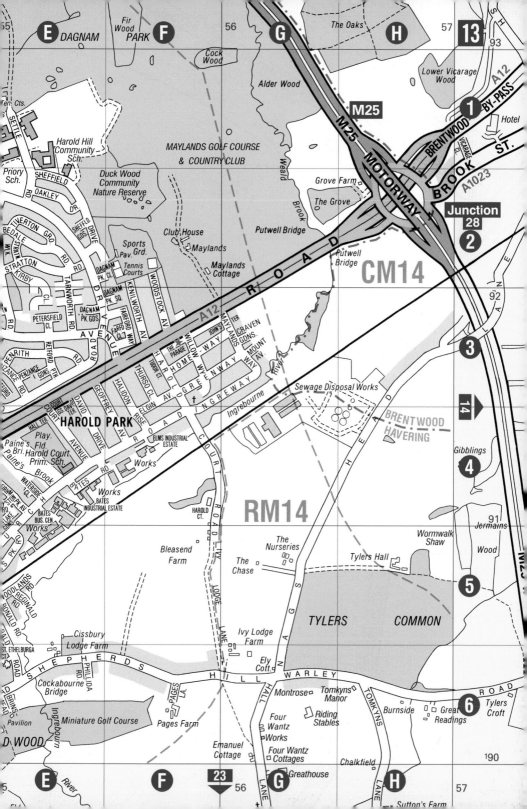

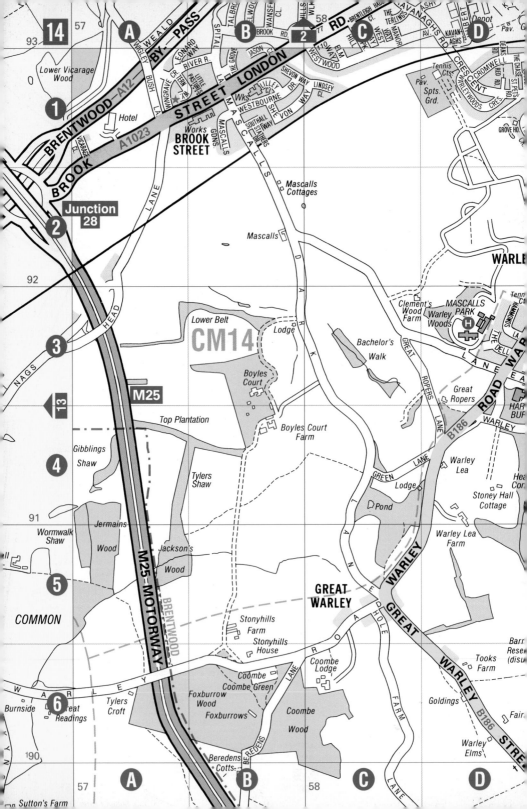

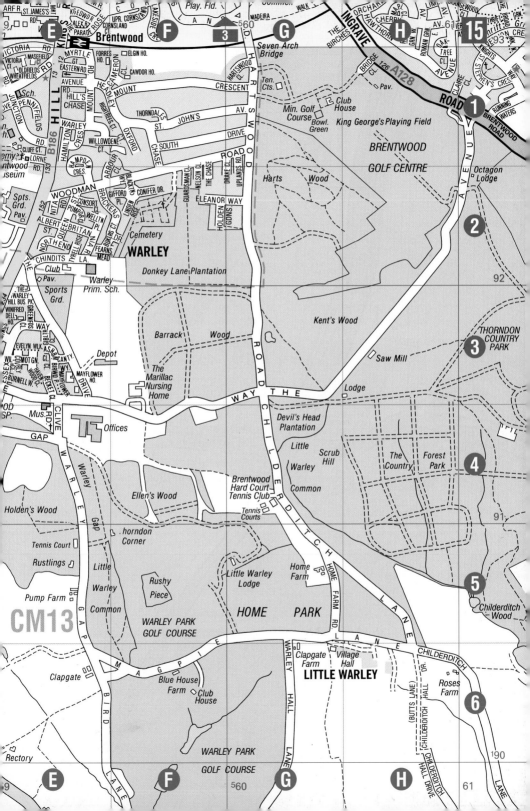

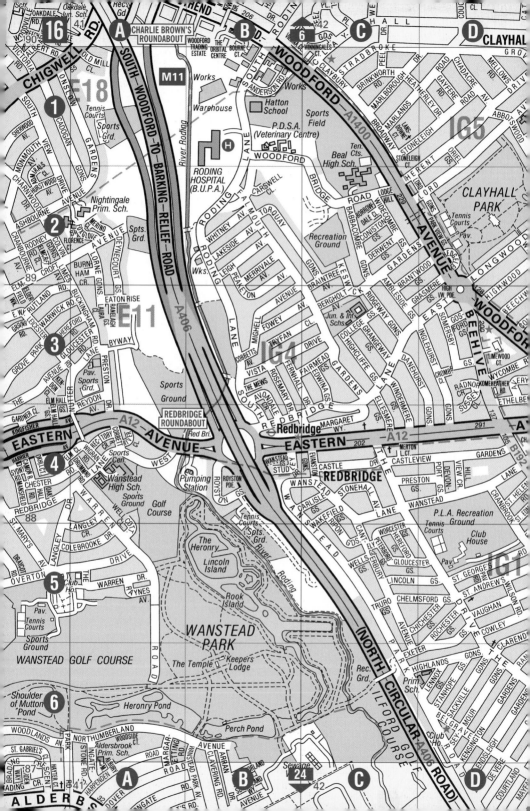

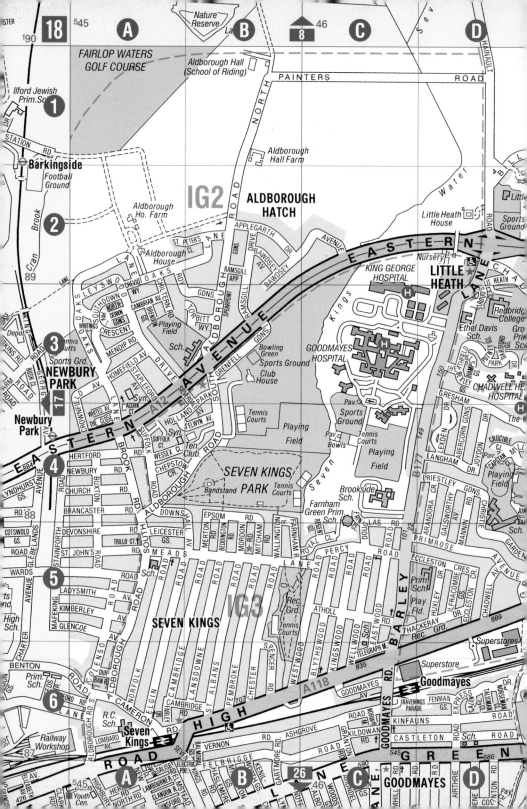

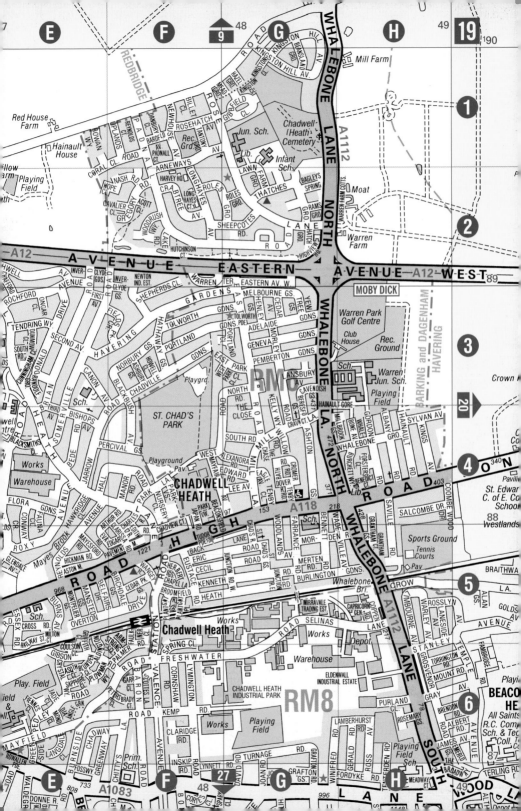

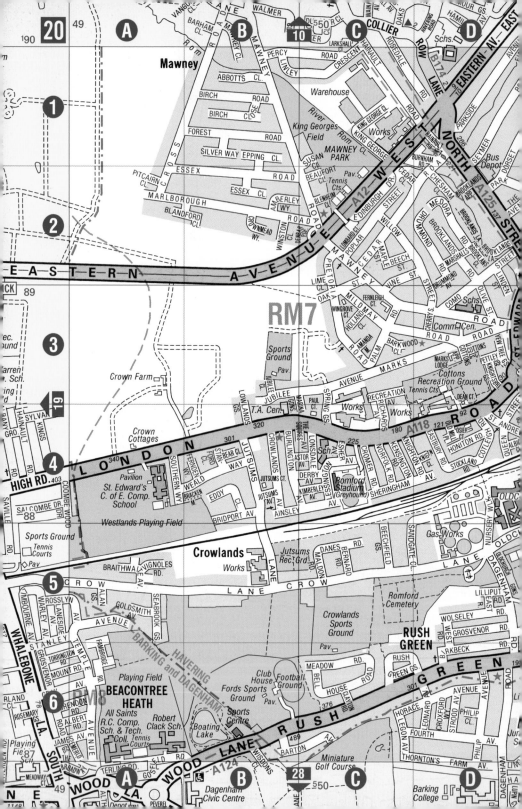

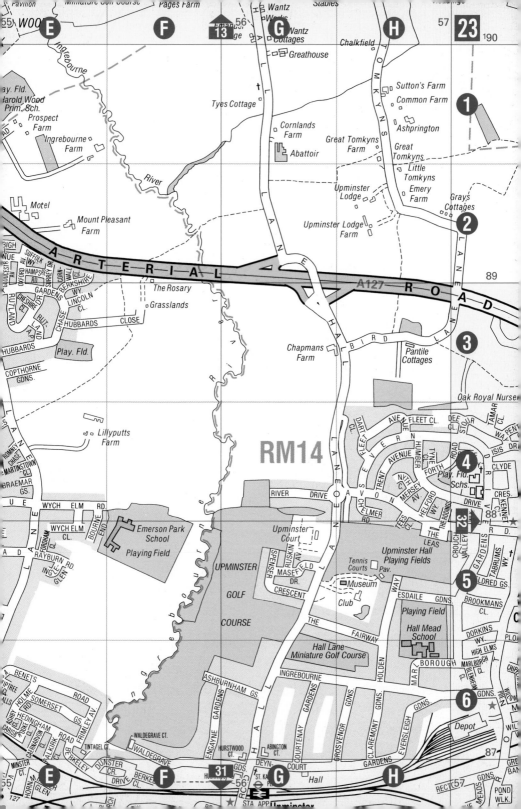

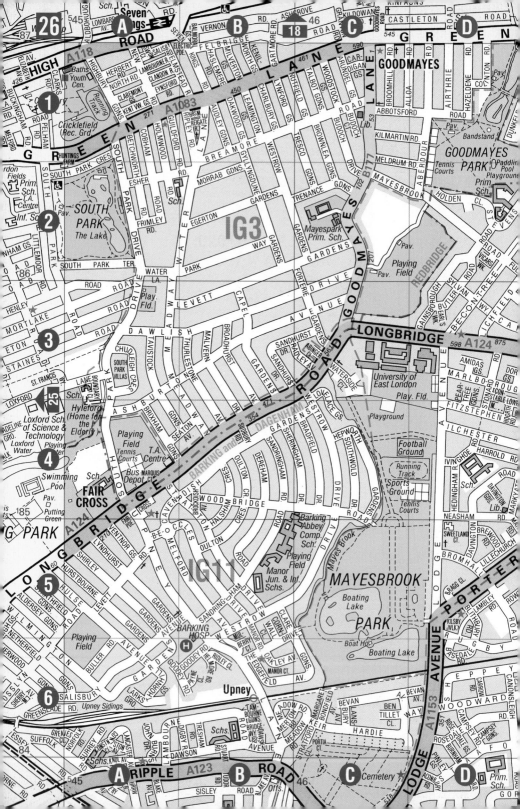

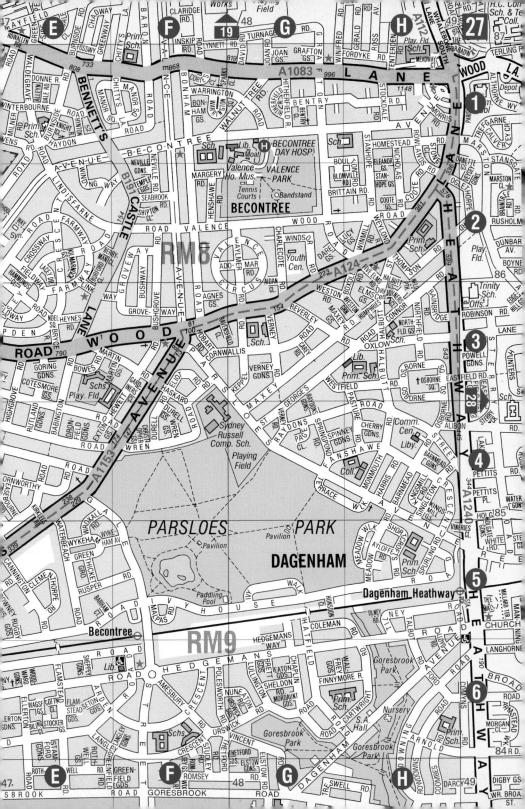

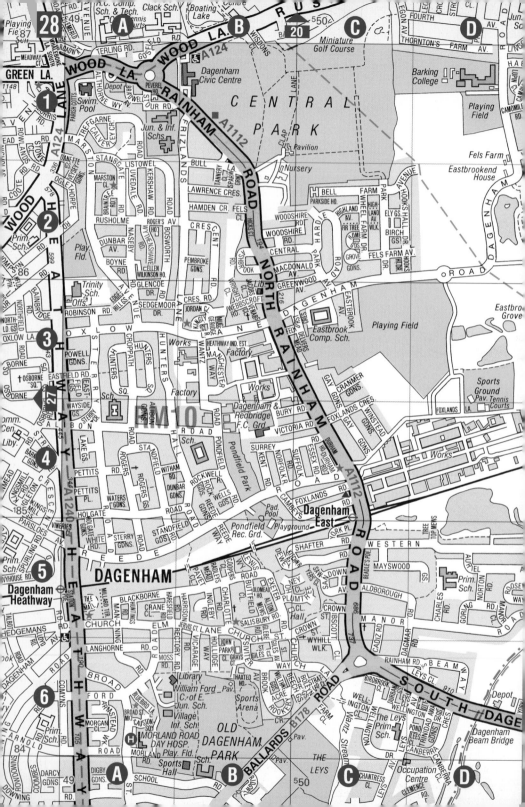

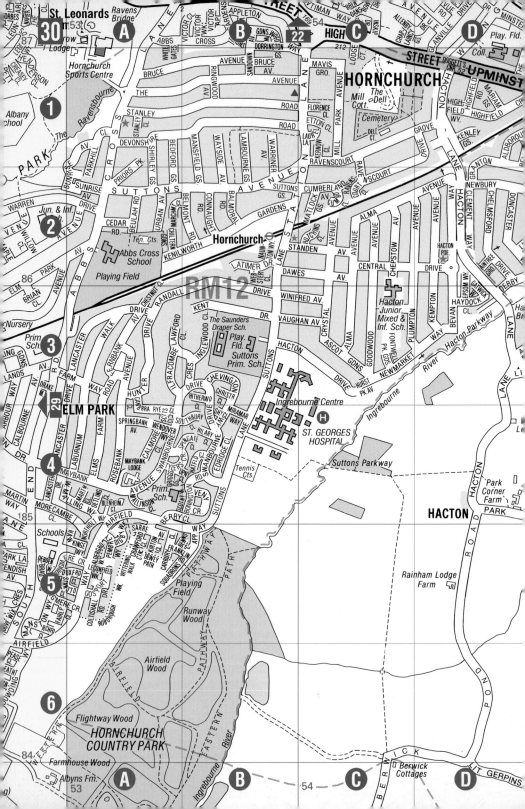

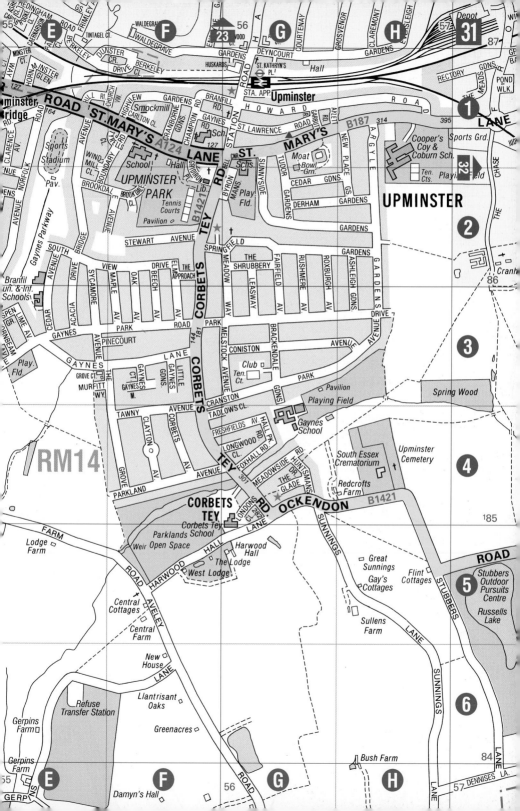

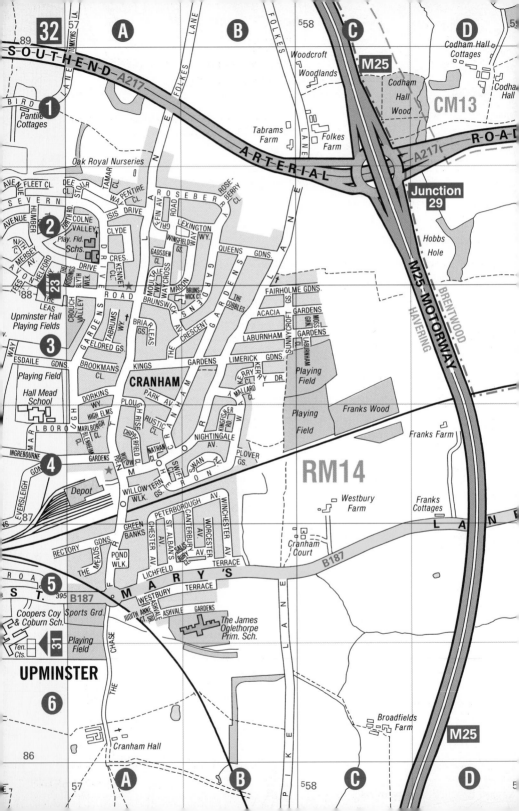

INDEX

Including Streets, Places & Areas, Hospitals & Hospices, Industrial Estates, Selected Flats & Walkways,
Junction Names and Selected Places of Interest.

HOW TO USE THIS INDEX

1. Each street name is followed by its Posttown or Postal Locality and then by its map reference; e.g. Abbey Rd. *Bark* —6F **25** is in the Barking Posttown and is to be found in square 6F on page **25**. The page number being shown in bold type.
   A strict alphabetical order is followed in which Av., Rd., St., etc. (though abbreviated) are read in full and as part of the street name;
   e.g. Apple Ga. appears after Applegarth Dri. but before Appleton Way.

2. Streets and a selection of Subsidiary names not shown on the Maps, appear in the index in *Italics* with the thoroughfare to which it is connected shown in brackets; e.g. Abbots Ct. *Romf* —5D **12** (off Queen's Pk. Rd.)

3. Places and areas are shown in the index in **bold type**, the map reference to the actual map square in which the Town or Area is located and not to the place name; e.g. **Aldersbrook.** —1A **24**

4. An example of a selected place of interest is Barking Abbey. (remains of) —6G **25**

5. An example of a hospital or hospice is BARKING HOSPITAL. —6B **26**

GENERAL ABBREVIATIONS

All : Alley	Ct : Court	Lit : Little	Rd : Road
App : Approach	Cres : Crescent	Lwr : Lower	Shop : Shopping
Arc : Arcade	Cft : Croft	Mc : Mac	S : South
Av : Avenue	Dri : Drive	Mnr : Manor	Sq : Square
Bk : Back	E : East	Mans : Mansions	Sta : Station
Boulevd : Boulevard	Embkmt : Embankment	Mkt : Market	St : Street
Bri : Bridge	Est : Estate	Mdw : Meadow	Ter : Terrace
B'way : Broadway	Fld : Field	M : Mews	Trad : Trading
Bldgs : Buildings	Gdns : Gardens	Mt : Mount	Up : Upper
Bus : Business	Gth : Garth	Mus : Museum	Va : Vale
Cvn : Caravan	Ga : Gate	N : North	Vw : View
Cen : Centre	Gt : Great	Pal : Palace	Vs : Villas
Chu : Church	Grn : Green	Pde : Parade	Vis : Visitors
Chyd : Churchyard	Gro : Grove	Pk : Park	Wlk : Walk
Circ : Circle	Ho : House	Pas : Passage	W : West
Cir : Circus	Ind : Industrial	Pl : Place	Yd : Yard
Clo : Close	Info : Information	Quad : Quadrant	
Comn : Common	Junct : Junction	Res : Residential	
Cotts : Cottages	La : Lane	Ri : Rise	

POSTTOWN AND POSTAL LOCALITY ABBREVIATIONS

Bark : Barking	*Elm P* : Elm Park	*Ingve* : Ingrave	*Rain* : Rainham
B'side : Barkingside	*Gid P* : Gidea Park	*Kel H* : Kelvedon Hatch	*Romf* : Romford
Brtwd : Brentwood	*Gt War* : Great Warley	*L Bur* : Little Burstead	*Rush G* : Rush Green
Buck H : Buckhurst Hill	*H Hill* : Harold Hill	*L Hth* : Little Heath	*Shenf* : Shenfield
Chad H : Chadwell Heath	*H Wood* : Harold Wood	*L War* : Little Warley	*S Wea* : South Weald
Chig : Chigwell	*Hav* : Havering-Atte-Bower	*Mawn* : Mawneys	*Upm* : Upminster
Col R : Collier Row	*Horn* : Hornchurch	*Noak H* : Noak Hil	*War* : Warley
Dag : Dagenham	*Hut* : Hutton	*N Ock* : North Ockendon	*Wfd G* : Woodford Green
Dodd : Doddinghurst	*Ilf* : Ilford	*Pil H* : Pilgrims Hatch	

INDEX

Abberton Wlk. *Rain* —6F **29**

Abbey Clo. *Romf* —4G **21**
Abbey Retail Pk. *Bark* —6F **25**
Abbey Rd. *Bark* —6F **25**
Abbey Rd. *Ilf* —3H **17**
Abbots Clo. *Shenf* —4A **4**
Abbots Ct. *Romf* —5D **12**
  (off Queen's Pk. Rd.)
Abbotsford Rd. *Ilf* —1C **26**
Abbotswood Gdns. *Ilf* —1D **16**
Abbotts Clo. *Romf* —1B **20**
Abbs Cross. *Horn* —6A **22**
Abbs Cross Gdns. *Horn* —6A **22**
Abbs Cross La. *Horn* —2A **30**
Abenberg Way. *Hut* —5B **4**
Abercorn Gdns. *Romf* —4D **18**
Aberdour Rd. *Ilf* —2D **26**
Abigail M. *Romf* —6D **12**
Abinger Clo. *Bark* —3C **26**
Abington Ct. *Upm* —6G **23**
Abridge Gdns. *Romf* —3A **10**
Acacia Av. *Horn* —1F **29**
Acacia Clo. *Romf* —3E **31**
Acacia Gdns. *Upm* —3B **32**
Accrington Ho. H Hill —2B **12**
  (off Barnstaple Rd.)
Aconbury Rd. *Dag* —6D **26**
Acorn Cen., The. *Ilf* —3D **8**
Acorn Ct. *E6* —6C **24**
Acorn Ct. *Ilf* —4A **18**
Acorns, The. *Chig* —1A **8**
Acre Rd. *Dag* —6B **28**
Acre Vw. *Horn* —2C **22**

Addison Rd. *Ilf* —5G **7**
Adelaide Gdns. *Romf* —3G **19**
Adelaide Rd. *Ilf* —1F **25**
Adeliza Clo. *Bark* —6G **25**
Adelphi Cres. *Horn* —1G **29**
Aden Rd. *Ilf* —5G **17**
Admirals Clo. *E18* —2A **16**
Admirals Lodge. *Romf* —2F **21**
Adnams Wlk. *Rain* —5G **29**
Adomar Rd. *Dag* —2F **27**
Agister Rd. *Chig* —2C **8**
Agnes Av. *Ilf* —3E **25**
Agnes Gdns. *Dag* —3F **27**
Aidan Clo. *Dag* —2G **27**
Ainsley Av. *Romf* —4B **20**
Aintree Cres. *Ilf* —6G **7**
Aintree Gro. *Upm* —2D **30**
Airfield Pathway. *Horn* —6A **30**
Airfield Way. *Horn* —5H **29**
Airlie Gdns. *Ilf* —6F **17**
Airthrie Rd. *Ilf* —1D **26**
Alan Gdns. *Romf* —5A **20**
Albany Rd. *E12* —3B **24**
Albany Rd. *Horn* —6G **21**
Albany Rd. *Pil H* —2D **2**
Albany Rd. *Romf* —4H **19**
Albemarle App. *Ilf* —4F **17**
Albemarle Gdns. *Ilf* —4F **17**
Albert Rd. *E18* —1A **16**
  (off Albert Rd.)
Albert Rd. *E18* —1A **16**
Albert Rd. *Dag* —6A **20**
Albert Rd. *Ilf* —2F **25**

Albert Rd. *Romf* —3F **21**
Albert St. *War* —2E **15**
Albion Clo. *Romf* —4D **20**
Albury M. *E12* —1A **24**
Albyns Clo. *Rain* —6G **29**
Alcester Ho. *Romf* —2B **12**
  (off Northallerton Way)
Aldborough Ct. *Ilf* —3B **18**
  (off Aldborough Rd. N.)
Aldborough Hatch. —2B **18**
Aldborough Rd. *Dag* —5C **28**
Aldborough Rd. *Upm* —1D **30**
Aldborough Rd. N. *Ilf* —3B **18**
Aldborough Rd. S. *Ilf* —6A **18**
  (in two parts)
Alder Av. *Upm* —3D **30**
Aldergrove Wlk. *Horn* —5A **30**
Aldersbrook. —1A **24**
Aldersbrook La. *E12* —2D **24**
Aldersbrook Rd. *E11 & E12* —1A **24**
Aldersey Gdns. *Bark* —5H **25**
Alderton Clo. *Pil H* —1D **2**
Alder Wlk. *Ilf* —4G **25**
Aldingham Ct. Horn —4H **29**
  (off Easedale Dri.)
Aldingham Gdns. *Horn* —4G **29**
Aldington Clo. *Dag* —6E **19**
Aldwych Av. *Ilf* —2G **17**
Aldwych Clo. *Horn* —6G **21**
Alexander La. *Shenf & Hut* —1A **4**
Alexandra Rd. *Brtwd* —6E **3**
Alexandra Rd. *Chad H* —4G **19**
Alexandra Rd. *Romf* —4F **21**

Alfred Ho. *E12* —6C **24**
  (off Tennyson Av.)
Alfred Prior Ho. *E12* —3E **25**
Alfred Rd. *Brtwd* —5F **3**
Alibon Gdns. *Dag* —4A **28**
Alibon Rd. *Dag* —4H **27**
Allandale Rd. *Horn* —5F **21**
Allenby Dri. *Horn* —6C **22**
Alleyndale Rd. *Dag* —1E **27**
Alloa Rd. *Ilf* —1C **26**
Alma Av. *Horn* —3C **30**
Alpha Rd. *Hut* —2D **4**
Althorne Way. *Dag* —1A **28**
Altmore Av. *E6* —6D **24**
Alverstoke Rd. *Romf* —4C **12**
Alverstone Rd. *Ilf* —3E **25**
Alwyne Av. *Shenf* —2A **4**
Amanda Clo. *Chig* —3H **7**
Amanda M. *Romf* —3C **20**
Amberley Way. *Romf* —2B **20**
Ambleside Av. *Horn* —4H **29**
Ambleside Gdns. *Ilf* —2C **16**
Amersham Clo. *Romf* —3D **12**
Amersham Dri. *Romf* —3C **12**
Amersham Rd. *Romf* —3C **12**
Amersham Wlk. *Romf* —3D **12**
Amery Gdns. *Romf* —1B **22**
Amesbury Rd. *Dag* —6F **27**
Amidas Gdns. *Dag* —3D **26**
Ampthill Ho. H Hill —2B **12**
  (off Montgomery Cres.)
Amwell Vw. *Ilf* —2D **8**
Anderson Rd. *Wfd G* —1B **16**

Blakeborough Dri. *H Wood* —6C **12**
Blanchard M. *Romf* —4D **12**
Blandford Clo. *Romf* —2A **20**
Blenheim Av. *Ilf* —4E **17**
Blenheim Clo. *Romf* —2C **20**
Blenheim Clo. *Upm* —4A **32**
Blenheim Ct. *Horn* —4A **30**
Blenheim Rd. *Pil H* —2C **2**
Blithbury Rd. *Dag* —5D **26**
Blomville Rd. *Dag* —2G **27**
Bloomfield Cres. *Ilf* —4F **17**
Bloomfields, The. *Bark* —5G **25**
Bluebell Av. *E12* —4B **24**
Bluebell Clo. *Rush G* —1E **29**
Bluebell Way. *Ilf* —5F **25**
Bluebird La. *Dag* —6A **28**
Blunden Clo. *Dag* —6E **19**
Blythswood Rd. *Ilf* —6C **18**
Blyth Wlk. *Upm* —2A **32**
Boar Clo. *Chig* —2C **8**
Bobs La. *Romf* —4G **11**
Boleyn Gdns. *Brtwd* —6H **3**
Boleyn Gdns. *Dag* —6C **28**
Boleyn Rd. *E7* —6A **24**
Boleyn Way. *Ilf* —3G **7**
Bonham Gdns. *Dag* —1F **27**
Bonham Rd. *Dag* —1F **27**
Bonington Rd. *Horn* —4B **30**
Bonnett M. *Horn* —6C **22**
Bonningtons. *Brtwd* —6B **4**
Booth's Ct. *Hut* —5F **17**
Borrowdale Clo. *Ilf* —2C **16**
Boscombe Av. *Horn* —5B **22**
Bosworth Cres. *Romf* —3A **12**
Bosworth Rd. *Dag* —2A **28**
Bouchier Wlk. *Rain* —5G **29**
Boulevard, The. *Wfd G* —3E **7**
Boulter Gdns. *Rain* —5G **29**
Boulton Rd. *Dag* —1G **27**
Boundary Clo. *Ilf* —3A **26**
Boundary Dri. *Hut* —3E **5**
Boundary Rd. *Romf* —4G **21**
Boundary Rd. *Upm* —2E **31**
Bournebridge Clo. *Hut* —3E **5**
Bourne Ct. *Wfd G* —1B **16**
Bourne End. *Horn* —5E **23**
Bowden Dri. *Horn* —6C **22**
Bower Clo. *Romf* —4D **10**
Bowe's Ho. *Bark* —6F **25**
Bowes Rd. *Dag* —3E **27**
Bowhay. *Hut* —5A **4**
Bowland Rd. *Wfd G* —2A **6**
Bowls, The. *Chig* —1A **8**
Bowmont Clo. *Hut* —2B **4**
Bowness Way. *Horn* —4G **29**
Boxmoor Rd. *Romf* —2C **10**
Boxoll Rd. *Dag* —3H **27**
Boyne Rd. *Dag* —2A **28**
Brackendale Gdns. *Upm* —3G **31**
Bracken Dri. *Chig* —3F **7**
Bracken Ind. Est. *Ilf* —4H **7**
Bracken M. *Romf* —4B **20**
Brackens Dri. *War* —2E **15**
Bradfield Dri. *Bark* —4C **26**
Bradford Rd. *Ilf* —6H **17**
Brading Cres. *E11* —1A **24**
Bradwell Av. *Dag* —1A **28**
Bradwell Clo. *Horn* —5H **29**
Bradwell Ct. *Hut* —2C **4**
  (off Bradwell Grn.)
Bradwell Grn. *Hut* —2C **4**
Brady Ct. *Dag* —6F **19**
Braemar Gdns. *Horn* —4E **23**
Bragg Clo. *Dag* —5D **26**
Braintree Av. *Ilf* —2C **16**
Braintree Rd. *Dag* —2A **28**
Braithwaite Av. *Romf* —5A **20**
Brambles, The. *Chig* —2G **7**
Bramley Cres. *Ilf* —4E **17**
Bramshill Clo. *Chig* —2A **8**
Bramston Clo. *Ilf* —3B **8**
Brancaster Rd. *E12* —3D **24**
Brancaster Rd. *Ilf* —4A **18**
Branch Rd. *Ilf* —2D **8**
Brandesbury Sq. *Wfd G* —4E **7**
Brandville Gdns. *Ilf* —2F **17**
Branfill Rd. *Upm* —1F **31**
Brantwood Gdns. *Ilf* —2C **16**
Breamore Rd. *Ilf* —1B **26**
Brendans Clo. *Horn* —6C **22**
Brendon Gdns. *Ilf* —3A **18**
Brendon Rd. *Dag* —6H **19**
Brentleigh Ct. *Brtwd* —6C **2**
Brentwood. —5E **3**

Brentwood By-Pass. *Brtwd* —1H **13**
BRENTWOOD COMMUNITY
  HOSPITAL. —4G **3**
Brentwood Pl. *Brtwd* —4F **3**
Brentwood RC Cathedral. —5F **3**
Brentwood Rd. *Ingve* —1H **15**
Brentwood Rd. *Romf* —4F **21**
Brett Gdns. *Dag* —6G **27**
Brewood Rd. *Dag* —5D **26**
Brian Clo. *Horn* —3H **29**
Brian Rd. *Romf* —3E **19**
Briarleas Gdns. *Upm* —3A **32**
Briar Rd. *Romf* —4A **12**
Briars Wlk. *Romf* —6C **12**
Brickstock Furze. *Shenf* —4A **4**
Bridge Av. *Upm* —2E **31**
Bridge Clo. *Brtwd* —1H **15**
Bridge Clo. *Romf* —4E **21**
Bridge Rd. *E6* —6D **24**
Bridgeview Ct. *Ilf* —3H **7**
Bridgeway. *Bark* —6B **26**
Bridgwater Clo. *Romf* —2B **12**
Bridgwater Rd. *Romf* —2A **12**
Bridgwater Wlk. *Romf* —2B **12**
Bridport Av. *Romf* —4B **20**
Brierley Clo. *Horn* —4A **22**
Brindles. *Horn* —2C **22**
Brindles Clo. *Hut* —5C **4**
Brinkworth Rd. *Ilf* —1C **16**
Brinsmead Rd. *Romf* —6E **13**
Brisbane Rd. *Ilf* —5F **17**
Bristol Ho. *Bark* —6C **26**
  (off Margaret Bondfield Av.)
Bristol Rd. *E7* —5A **24**
Britannia Clo. *Ilf* —2F **25**
Britannia Rd. *War* —2E **15**
Brittain Rd. *Dag* —2G **27**
Brixham Gdns. *Ilf* —4A **26**
Broadfield Ct. *Romf* —3F **21**
Broadfield Wlk. *Buck H* —1A **6**
Broadhurst Av. *Ilf* —3B **26**
Broadhurst Gdns. *Chig* —1G **7**
  (in two parts)
Broadhurst Wlk. *Rain* —5G **29**
Broadmead Rd. *Wfd G* —4A **6**
Broad Oak. *Wfd G* —2A **6**
Broadstone Rd. *Horn* —1G **29**
Broad St. *Dag* —6A **28**
Broad St. Mkt. *Dag* —6A **28**
Broad Wlk. N., The. *Brtwd* —6A **4**
Broad Wlk. S., The. *Brtwd* —6A **4**
Broadway. *Bark* —6G **25**
Broadway. *Romf* —6G **11**
Broadway Clo. *Wfd G* —3A **6**
Broadway Gdns. *Wfd G* —3A **6**
Broadway Mkt. *Ilf* —6H **7**
  (in two parts)
Broadway Pde. *Horn* —3H **29**
  (off Broadway, The)
Broadway, The. *Dag* —1H **27**
Broadway, The. *Horn* —3H **29**
Broadway, The. *Wfd G* —3A **6**
Brockdish Av. *Bark* —4B **26**
Brockenhurst Gdns. *Ilf* —4G **25**
Brocket Clo. *Chig* —1B **8**
Brocket Way. *Chig* —2A **8**
Brockham Dri. *Ilf* —4F **17**
Brockley Cres. *Romf* —4C **10**
Brockley Gro. *Hut* —4A **4**
Brocksparkwood. *Brtwd* —6B **4**
Brockton Clo. *Romf* —2F **21**
Bromhall Rd. *Dag* —5D **26**
Bronte Clo. *Ilf* —2E **17**
Brook Av. *Dag* —6B **28**
Brook Clo. *Romf* —5F **11**
Brookdale Av. *Upm* —2E **31**
Brookdale Clo. *Upm* —2F **31**
Brooke Trad. Est. *Horn* —5F **21**
Brookfield Clo. *Hut* —2C **4**
Brooklands App. *Romf* —2D **20**
Brooklands Clo. *Romf* —2D **20**
Brooklands Gdns. *Horn* —4A **22**
Brooklands La. *Romf* —2D **20**
Brooklands Rd. *Romf* —2D **20**
Brook Lodge. *Romf* —2D **20**
  (off Brooklands Rd.)
Brookmans Clo. *Upm* —3A **32**
Brook Rd. *Brtwd* —6B **2**
Brook Rd. *Ilf* —4A **18**
Brook Rd. *Romf* —6F **11**
Brooks Ho. *Brtwd* —4E **3**
Brookside. *Horn* —3C **22**
Brookside. *Ilf* —3G **7**
Brook Street. —1A **14**
Brook St. *Brtwd* —2H **13**

Broomfield Clo. *Romf* —4D **10**
Broomfield Rd. *Romf* —5F **19**
Broomhill Rd. *Ilf* —1C **26**
Broomwood Gdns. *Pil H* —2C **2**
Broseley Gdns. *Romf* —1C **12**
Broseley Rd. *Romf* —1C **12**
Browne Clo. *Brtwd* —4D **2**
Browne Clo. *Romf* —2B **10**
Browning Clo. *Col R* —4H **9**
Browning Rd. *E12* —4D **24**
Brownlea Gdns. *Ilf* —1C **26**
Broxhill Cen. *Romf* —1H **11**
Broxhill Rd. *Hav* —1E **11**
Broxted M. *Brtwd* —2C **4**
Bruce Av. *Horn* —1A **30**
Brunel Clo. *Romf* —2E **21**
Brunel Rd. *Wfd G* —2D **6**
Brunswick Av. *Upm* —3A **32**
Brunswick Ct. *Upm* —3B **32**
Brunswick Gdns. *Ilf* —4G **7**
Bryant Av. *Romf* —5B **12**
Bryce Rd. *Dag* —3E **27**
Buckbean Path. *Romf* —4A **12**
Buckhurst Way. *Buck H* —1B **6**
Buckingham Rd. *Ilf* —4B **22**
Buckingham Rd. *E11* —3A **16**
Buckingham Rd. *Ilf* —1H **25**
Bucklers Ct. *War* —2E **15**
Budoch Ct. *Ilf* —1C **26**
Budoch Dri. *Ilf* —1C **26**
Buller Rd. *Bark* —6A **26**
Bull La. *Dag* —2B **28**
Bungalows, The. *Ilf* —5A **8**
Buntingbridge Rd. *Ilf* —3H **17**
Burchett Way. *Romf* —4H **19**
Burchwall Clo. *Romf* —4C **10**
Burden Way. *E11* —1A **24**
Burford Clo. *Dag* —2E **27**
Burford Clo. *Ilf* —2G **17**
Burge Rd. *E7* —3B **24**
Burges Clo. *Horn* —4D **22**
Burges Rd. *E6* —6C **24**
Burgess Ct. *E6* —6E **25**
Burgess Ct. *Brtwd* —4F **3**
Burgess Rd. *E6* —6E **25**
Burland Rd. *Brtwd* —4F **3**
Burland Rd. *Romf* —3C **10**
Burlington Av. *Romf* —4B **20**
Burlington Gdns. *Romf* —5G **19**
Burnell Wlk. *Gt War* —3E **15**
Burnham Cres. *E11* —2A **16**
Burnham Rd. *Dag* —6D **26**
Burnham Rd. *Romf* —1D **20**
Burns Av. *Chad H* —5E **19**
Burnside Ind. Est. *Ilf* —2D **8**
Burnside Rd. *Dag* —1E **27**
Burns Way. *Hut* —2D **4**
Burntwood. *Brtwd* —6E **3**
Burntwood Av. *Horn* —4B **22**
Burnway. *Horn* —5C **22**
Burrow Clo. *Chig* —2B **8**
Burrow Grn. *Chig* —2B **8**
Burrow Rd. *Chig* —2B **8**
Burses Way. *Hut* —3B **4**
Burslem Av. *Ilf* —3C **8**
Bury Rd. *Dag* —4B **28**
Bush Clo. *Ilf* —3H **17**
Bush Elms Rd. *Horn* —5G **21**
Bushgrove Rd. *Dag* —3F **27**
Bush Rd. *Buck H* —1B **6**
Bushway. *Dag* —3F **27**
Business Cen., The. *Romf* —4B **12**
Bute Rd. *Ilf* —3F **17**
Butler Rd. *Dag* —3D **26**
Buttercup Clo. *Romf* —5B **12**
Buttfield Clo. *Dag* —5B **28**
Buttsbury Rd. *Ilf* —4G **25**
  (in two parts)
Butts Grn. Rd. *Horn* —4B **22**
Butts La. *L War* —6H **15**
Buxton Clo. *Wfd G* —3B **6**
Buxton Rd. *Ilf* —4A **18**
Byron Av. *E12* —5C **24**
Byron Mans. *Upm* —2G **31**
Byron Rd. *Hut* —3D **4**
Byron Way. *Romf* —5A **12**
Bysouth Clo. *Ilf* —5F **7**
Byway. *E11* —3A **16**

*C*adiz Ct. *Dag* —6D **28**
  (off Rainham Rd. S.)
Cadiz Rd. *Dag* —6C **28**
Cadogan Gdns. *E18* —1A **16**
Caernarvon Clo. *Horn* —6E **23**

Caernarvon Dri. *Ilf* —5E **7**
Cairns Av. *Wfd G* —3C **6**
Calbourne Av. *Horn* —4H **29**
Calcott Clo. *Brtwd* —4D **2**
Caledonian Clo. *Ilf* —6D **18**
Caledon Rd. *E6* —6D **24**
Calmore Clo. *Horn* —4A **30**
Calne Av. *Ilf* —5F **7**
Calverley Cres. *Dag* —1A **28**
Calverton Rd. *E6* —6E **25**
Cambeys Rd. *Dag* —4B **28**
Camborne Av. *Romf* —4C **12**
Camborne Way. *Romf* —4C **12**
Cambrian Av. *Ilf* —3A **18**
Cambridge Av. *Romf* —1A **22**
Cambridge Rd. *Bark* —6G **25**
Cambridge Rd. *Ilf* —6A **18**
Camden Rd. *E11* —4A **16**
Camelford Ho. *Romf* —1C **12**
  (off Chudleigh Rd.)
Camellia Clo. *Romf* —5C **12**
Cameron Clo. *War* —1F **15**
Cameron Rd. *Ilf* —6A **18**
Camomile Rd. *Rush G* —1D **28**
Campbell Av. *Ilf* —2F **17**
Campbell Clo. *Romf* —3E **11**
Campden Cres. *Dag* —3D **26**
Campion Clo. *Rush G* —1D **28**
Campsey Gdns. *Dag* —6D **26**
Campsey Rd. *Dag* —6D **26**
Canberra Clo. *Dag* —6D **28**
Canberra Clo. *Horn* —3A **30**
Canberra Cres. *Dag* —6D **28**
Candover Rd. *Horn* —6H **21**
Cane Hill. *H Wood* —6C **12**
Canfield Rd. *Wfd G* —4C **6**
Cannington Rd. *Dag* —5E **27**
Canon Av. *Romf* —3E **19**
Canonsleigh Rd. *Dag* —6D **26**
Canterbury Av. *Ilf* —5C **16**
Canterbury Av. *Upm* —4B **32**
Canterbury Clo. *Chig* —1B **8**
Canterbury Ho. *Bark* —6C **26**
  (off Margaret Bondfield Av.)
Canterbury Way. *Gt War* —3E **15**
Cantley Gdns. *Ilf* —4G **17**
Cape Clo. *Bark* —6F **25**
Capel Gdns. *Ilf* —3B **26**
Capel Rd. *E7 & E12* —3A **24**
Capon Clo. *Brtwd* —4D **2**
Capricorn Cen. *Dag* —5H **19**
Capstan Clo. *Romf* —4D **18**
Carbury Clo. *Horn* —5A **30**
Cardigan Gdns. *Ilf* —1C **26**
Cardigan Ho. *Romf* —2B **12**
  (off Bridgwater Wlk.)
Cardinal Dri. *Ilf* —3G **7**
Carey Rd. *Dag* —3G **27**
Carfax Rd. *Horn* —3F **29**
Carisbrooke Clo. *Horn* —6E **23**
Carisbrooke Rd. *Pil H* —2D **2**
Carlisle Gdns. *Ilf* —4C **16**
Carlisle Rd. *Romf* —3F **21**
Carlton Clo. *Upm* —1F **31**
Carlton Ct. *Ilf* —1H **17**
Carlton Dri. *Ilf* —1H **17**
Carlton Rd. *E12* —3B **24**
Carlton Rd. *Romf* —3F **21**
Carlton Ter. *E7* —6A **24**
Carlyle Rd. *E12* —3C **24**
Carnation Clo. *Rush G* —1E **29**
Carnforth Gdns. *Horn* —4F **29**
Carpenter Path. *Hut* —1D **4**
Carriage M. *Ilf* —1G **25**
Carrick Dri. *Ilf* —5G **7**
Carrow Rd. *Dag* —6D **26**
Carswell Clo. *Hut* —2D **4**
Carswell Clo. *Ilf* —2B **16**
Carter Clo. *Romf* —4A **10**
Carter Dri. *Romf* —2B **10**
Cartwright Rd. *Dag* —6H **27**
Castellan Av. *Romf* —1H **21**
Castle Av. *Rain* —6E **29**
Castle Dri. *Ilf* —6D **16**
Castleton Rd. *Ilf* —6C **18**
Castleview Gdns. *Ilf* —4C **16**
Caterham Av. *Ilf* —6D **6**
Catherine Clo. *Pil H* —1C **2**
Catherine Ct. *Ilf* —4G **17**
Catherine Rd. *Romf* —3H **21**
Caulfield Rd. *E6* —6C **24**
Causton Sq. *Dag* —6A **28**
Cavalier Clo. *Romf* —2F **19**
Cavell Cres. *H Wood* —6C **12**
Cavendish Av. *Horn* —5H **29**

Cavendish Cres. *Horn* —5H **29**
Cavendish Gdns. *Bark* —4A **26**
Cavendish Gdns. *Ilf* —6E **17**
Cavendish Gdns. *Romf* —3G **19**
Cavenham Av. *Horn* —3A **22**
Cavenham Gdns. *Ilf* —2H **25**
Cawdor Ho. *Brtwd* —1F **15**
Caxton Pl. *Ilf* —2E **25**
Caxton Way. *Romf* —2E **21**
Cecil Av. *Bark* —6H **25**
Cecil Av. *Horn* —1C **22**
Cecil Rd. *Ilf* —3F **25**
Cecil Rd. *Romf* —5F **19**
Cedar Av. *Romf* —3G **19**
Cedar Av. *Upm* —3E **31**
Cedar Clo. *Hut* —3D **4**
Cedar Clo. *Romf* —2C **20**
Cedar Gdns. *Upm* —2G **31**
Cedar Pk. Gdns. *Romf* —5F **19**
Cedar Rd. *Horn* —2A **30**
Cedar Rd. *Hut* —2D **4**
Cedar Rd. *Romf* —2C **20**
Cedric Av. *Romf* —1E **21**
Central Dri. *Horn* —2C **30**
Central Pde. *Ilf* —4H **17**
Central Pk. Av. *Dag* —2G **27**
Centre Dri. *E7* —3A **24**
Centre Way. *Ilf* —1G **25**
Chadacre Av. *Ilf* —1D **16**
Chadview Ct. *Romf* —5F **19**
Chadville Gdns. *Romf* —3F **19**
Chadway. *Dag* —6E **19**
Chadwell Av. *Romf* —5D **18**
Chadwell Heath. —5F 19
CHADWELL HEATH HOSPITAL.
—3D **18**
Chadwell Heath Ind. Pk. *Dag* —6G **19**
Chadwell Heath La. *Chad H &
Romf* —2D **18**
Chadwick Dri. *H Wood* —6B **12**
Chadwick Rd. *Ilf* —2F **25**
Chafford. *Brtwd* —4D **2**
Chafford Way. *Romf* —2E **19**
Chalforde Gdns. *Romf* —2H **21**
Chalford Wlk. *Wfd G* —5B **6**
Chalgrove Cres. *Ilf* —1D **16**
Challacombe Clo. *Hut* —4B **4**
Champion Rd. *Upm* —1F **31**
Chandlers Way. *Romf* —3E **31**
Channing Clo. *Horn* —5D **22**
Chantress Clo. *Dag* —6C **28**
Chantreywood. *Brtwd* —6A **4**
Chapel High. *Brtwd* —5E **3**
(off High St.)
Chapel High Shop. Cen. *Brtwd* —5E **3**
Chapel La. *Chig* —1B **8**
Chapel La. *Romf* —5F **19**
Chapel M. *Wfd G* —2E **7**
Chapel Rd. *Ilf* —2E **25**
Chaplaincy Gdns. *Horn* —6C **22**
Chaplemount Rd. *Wfd G* —3D **6**
Chaplin Rd. *Dag* —6G **27**
Charlbury Clo. *Romf* —3A **12**
Charlbury Cres. *Romf* —3A **12**
Charlbury Gdns. *Ilf* —1B **26**
Charlecote Rd. *Dag* —2G **27**
Charles Rd. *E7* —6A **24**
Charles Rd. *Dag* —5D **28**
Charles Rd. *Romf* —4F **19**
Charlie Brown's Roundabout.
(Junct.) —5A **6**
Charlotte Clo. *Ilf* —5G **7**
Charlotte Ct. *Ilf* —4D **16**
Charlotte Gdns. *Romf* —3B **10**
Charlotte Rd. *Dag* —5B **28**
Charnwood Dri. *E18* —2A **16**
Charter Av. *Ilf* —6H **17**
Charteris Rd. *Wfd G* —3A **6**
Chase Cross. —3E 11
Chase Cross Rd. *Romf* —4C **10**
Chase Ho. Gdns. *Horn* —3D **22**
Chase La. *Ilf* —3H **17**
(in two parts)
Chase, The. *Brtwd* —6E **3**
Chaseside Clo. *Romf* —3E **11**
Chase, The. *E12* —3B **24**
Chase, The. *Brtwd* —6E **3**
Chase, The. *Chad H* —4G **19**
Chase, The. *Chig* —4G **7**
Chase, The. *Rain* —6H **29**
Chase, The. *Romf* —1E **21**
Chase, The. *Rush G* —2E **29**
Chase, The. *Upm* —6A **32**
Chase, The. *War* —1D **14**
(Cromwell Rd.)

Chase, The. *War* —2F **15**
(Woodman Rd.)
Chaseways Vs. *Romf* —5H **9**
Chatteris Av. *Romf* —3A **12**
Chaucer Rd. *Romf* —4H **11**
Chelmer Dri. *Hut* —2E **5**
Chelmer Rd. *Upm* —4H **23**
Chelmsford Av. *Romf* —4D **10**
Chelmsford Dri. *Upm* —2D **30**
Chelmsford Gdns. *Ilf* —5C **16**
Chelmsford Rd. *Shenf* —2H **3**
(in two parts)
Chelsea M. *Horn* —6H **21**
Chelsworth Clo. *Romf* —4D **12**
Chelsworth Dri. *Romf* —5C **12**
Chepstow Av. *Horn* —2C **30**
Chepstow Cres. *Ilf* —4A **18**
Chepstow Ho. Romf —2E **13**
(off Leamington Av.)
Cheriton Av. *Ilf* —6D **6**
Cherry Av. *Brtwd* —6H **3**
Cherrydown Wlk. *Romf* —6B **10**
Cherry Gdns. *Dag* —4H **27**
Cherry St. *Romf* —5F **19**
Cherry Tree Ri. *Buck H* —1A **6**
Chertsey Rd. *Ilf* —3H **25**
Chesham Clo. *Romf* —2D **20**
Chesham Ho. Romf —3C **12**
(off Leyburn Cres.)
Cheshire Clo. *Horn* —3E **23**
Cheshunt Rd. *E7* —5A **24**
Chester Av. *Upm* —5A **32**
Chesterford Rd. *E12* —4D **24**
Chester Rd. *E7* —6B **24**
Chester Rd. *E11* —4A **16**
Chester Rd. *Ilf* —6B **18**
Chester Ter. *Bark* —5H **25**
Chestnut Av. *Brtwd* —3A **2**
Chestnut Av. *Buck H* —1B **6**
Chestnut Av. *Horn* —1F **29**
Chestnut Clo. *Horn* —3A **30**
Chestnut Glen. *Horn* —1F **29**
Chestnut Gro. *Brtwd* —5E **3**
Chestnut Gro. *Ilf* —3A **8**
Chestnuts. *Hut* —4B **4**
Chevington Way. *Horn* —3B **30**
Cheviot Rd. *Horn* —5G **21**
Cheviot Way. *Ilf* —2A **18**
Chichester Gdns. *Ilf* —5C **16**
Chichester Ho. Brtwd —5E **3**
(off Sir Francis Way)
Chigwell. —1G 7
Chigwell Pk. *Chig* —1F **7**
Chigwell Pk. Dri. *Chig* —1E **7**
Chigwell Rd. *E18 & Wfd G* —1A **16**
Chigwell Vw. *Romf* —3A **10**
Childerditch Hall Dri. *L War* —6H **15**
Childerditch La. *L War* —4G **15**
Childers, The. *Wfd G* —2D **6**
Childs Clo. *Horn* —4A **22**
Chiltern Gdns. *Horn* —2A **30**
Chiltern Rd. *Ilf* —3A **18**
Chindits La. *War* —2E **15**
Chippenham Clo. *Romf* —2B **12**
Chippenham Gdns. *Romf* —2B **12**
Chippenham Rd. H Hill & Romf
—3B **12**
Chippenham Wlk. *Romf* —3B **12**
Chipperfield Clo. *Upm* —4A **32**
Chitty's La. *Dag* —1F **27**
Christchurch Rd. *Ilf* —6F **17**
Christie Gdns. *Romf* —4D **18**
Christopher Clo. *Horn* —3B **30**
Christopher Gdns. *Dag* —4F **27**
Chudleigh Cres. *Ilf* —3A **26**
Chudleigh Rd. *Romf* —1C **12**
Church Ct. *Wfd G* —3A **6**
Church Elm La. *Dag* —5A **28**
Church La. *Dag* —6C **28**
Church La. *Hut* —4E **5**
Church La. *Romf* —2E **21**
Church Path. *Bark* —6G **25**
Church Path. *Romf* —3E **21**
Church Rd. *E12* —4C **24**
Church Rd. *Bark* —5G **25**
Church Rd. *H Wood* —5D **12**
Church Rd. *Ilf* —4A **18**
Church St. *Dag* —5B **28**
Church Vw. *Upm* —1F **31**
Church Wlk. *Brtwd* —3D **2**
Churston Av. *E13* —6A **24**
City of London Crematorium.
E12 —2C **24**
Civic Way. *B'side & Ilf* —2G **17**
Claire Clo. *Ingve* —1H **5**

Clairvale. *Horn* —5C **22**
Clandon Rd. *Ilf* —1A **26**
Clap La. *Dag* —1B **28**
Clare Gdns. *Bark* —5B **26**
Claremont Gdns. *Ilf* —1A **26**
Claremont Gdns. *Upm* —6H **23**
Claremont Gro. *Wfd G* —3A **6**
Claremont Rd. *E7* —4A **24**
Claremont Rd. *Horn* —4G **21**
Clarence Av. *Ilf* —4E **17**
Clarence Av. *Upm* —1E **31**
Clarence Ga. *Wfd G* —3D **6**
(in four parts)
Clarence Rd. *E12* —3B **24**
Clarence Rd. *Pil H* —2D **2**
Clarendon Gdns. *Ilf* —5D **16**
Claridge Rd. *Dag* —6F **19**
Clarissa Rd. *Romf* —5F **19**
Clarke Mans. Bark —6B **26**
(off Upney La.)
Clarks Rd. *Ilf* —1H **25**
Claughton Way. *Hut* —2A **5**
Clavering Rd. *E12* —6B **16**
Clavering Way. *Hut* —2C **4**
Claybury B'way. *Ilf* —1C **16**
Claybury Rd. *Wfd G* —4C **6**
Claygate Clo. *Horn* —3G **29**
Clayhall. —6D 6
Clayhall Av. *Ilf* —1C **16**
Clayside. *Chig* —2G **7**
Clayton Av. *Upm* —4F **31**
Clayton Rd. *Romf* —6C **20**
Clematis Clo. *Romf* —4A **12**
Clemence Rd. *Dag* —6D **28**
Clementhorpe Rd. *Dag* —5E **27**
Clements Ct. *Ilf* —2F **25**
Clements La. *Ilf* —2F **25**
Clements Rd. *E6* —6C **24**
Clements Rd. *Ilf* —2F **25**
Clement Way. *Upm* —2D **30**
Cleveland Rd. *Ilf* —2F **25**
Clevelands, The. *Bark* —5G **25**
Cleves Av. *Brtwd* —4D **2**
Cleves Wlk. *Ilf* —4G **7**
Clifford Av. *Ilf* —5F **7**
Clifton Rd. *E7* —5B **24**
Clifton Rd. *Horn* —4G **21**
Clifton Rd. *Ilf* —4H **17**
Clifton Way. *Hut* —4D **4**
Clinton Cres. *Ilf* —3A **8**
Clitheroe Rd. *Romf* —2C **10**
Cliveden Clo. *Shenf* —3H **3**
Clive Rd. *Gt War* —4E **15**
Clive Rd. *Romf* —3H **21**
Clockhouse Av. *Bark* —6G **25**
Clockhouse La. *Romf* —4B **10**
Close, The. *Brtwd* —6F **3**
Close, The. *Ilf* —4A **18**
Close, The. *Romf* —4G **19**
Cloudberry Rd. *Romf* —3B **12**
Clovelly Ct. *Horn* —1E **31**
Clovelly Gdns. *Romf* —5B **10**
Cluff Ct. *War* —1E **15**
Clunas Gdns. *Romf* —1B **22**
Clune Ct. *War* —2A **14**
Clyde Cres. *Upm* —2A **32**
Clydesdale Rd. *Horn* —5F **21**
Clyde Way. *Romf* —4E **11**
Clynes Ho. Dag —2A **28**
(off Uvedale Rd.)
Cobbetts Rd. *Ilf* —3B **16**
Cobbles, The. *Brtwd* —5G **3**
Cobbles, The. *Upm* —3B **32**
Cobham Rd. *Ilf* —1A **26**
Cobill Clo. *Horn* —2A **22**
Coburg Gdns. *Ilf* —6B **6**
Cockabourne Ct. H Wood —6E **13**
(off Archibald Rd.)
Colchester Av. *E12* —3D **24**
Colchester Rd. *Romf & S Wea* —5B **12**
Colebrooke Dri. *E11* —5A **16**
Cole Ct. *H Hill* —2C **12**
Coleford Ho. Romf —3C **12**
(off Kingsbridge Rd.)
Coleman Rd. *Dag* —5G **27**
Colenso Rd. *Ilf* —6A **18**
Coleridge Av. *E12* —5C **24**
Coleridge Rd. *Romf* —4H **11**
Coleridge Wlk. *Hut* —3C **4**
Colet Rd. *Hut* —1C **4**
Colinton Rd. *Ilf* —1D **26**
College Gdns. *Ilf* —3C **16**
Collier Row. —4B 10
Collier Row La. *Romf* —4B **10**
Collier Row Rd. *Romf* —5H **9**

Collins Way. *Hut* —1F **5**
Collinwood Gdns. *Ilf* —3D **16**
Colne Dri. *Romf* —3D **12**
Colne Ho. *Bark* —6F **25**
Colne Valley. *Upm* —2A **32**
Colombo Rd. *Ilf* —6G **17**
Colston Rd. *E7* —5B **24**
Coltishall Rd. *Horn* —5A **30**
Coltsfoot Path. *Romf* —4A **12**
(in three parts)
Columbine Way. *Romf* —5C **12**
Colvin Gdns. *E18* —2A **16**
Colvin Gdns. *Ilf* —5G **7**
Colvin Rd. *E6* —6C **24**
Comet Clo. *E12* —3B **24**
Como St. *Romf* —3D **20**
Compton Av. *Hut* —4C **4**
Compton Av. *Romf* —1A **22**
Comyns Rd. *Dag* —6A **28**
Concorde Ho. *Horn* —5H **29**
(off Astra Clo.)
Condor Wlk. *Horn* —6H **29**
Conifer Av. *Romf* —2B **10**
Conifer Dri. *War* —2F **15**
Coniston Av. *Bark* —6A **26**
Coniston Av. *Upm* —3G **31**
Coniston Clo. *Bark* —6A **26**
Coniston Gdns. *Ilf* —2C **16**
Coniston Way. *Horn* —4G **29**
Connaught La. *Ilf* —1G **25**
Connaught Rd. *Horn* —2B **30**
Connaught Rd. *Ilf* —1H **25**
Connor Clo. *Ilf* —5G **7**
Connor Rd. *Dag* —3H **27**
Conqueror Ct. *H Hill* —4B **12**
Consort Clo. *War* —2E **15**
Constable M. *Dag* —3D **26**
Conway Clo. *Rain* —6G **29**
Conway Cres. *Romf* —4E **19**
Cook's Clo. *Romf* —5C **10**
Coolgardie Av. *Chig* —1E **7**
Coombe Ri. *Shenf* —4H **3**
Coombe Rd. *Romf* —1D **22**
Coombes Rd. *Dag* —6H **27**
Coombe Wood Dri. *Romf* —4H **19**
Coopersale Clo. *Wfd G* —4A **6**
Coopers Clo. *Dag* —5B **28**
Coote Gdns. *Dag* —2H **27**
Coote Rd. *Dag* —2H **27**
Copeman Rd. *Hut* —3D **4**
Copford Clo. *Wfd G* —3C **6**
Coppen Rd. *Dag* —1H **19**
Copper Beech Clo. *Ilf* —5D **6**
Copperfield. *Chig* —2H **7**
Copperfield App. *Chig* —3H **7**
Copperfield Gdns. *Brtwd* —4D **2**
Copperfields Way. *Romf* —5B **12**
Coppice Path. *Chig* —1D **8**
Coptfold Rd. *Brtwd* —5E **3**
Copthorne Av. *Ilf* —3F **7**
Copthorne Gdns. *Horn* —3E **23**
Coral Clo. *Romf* —2E **19**
Coram Grn. *Hut* —2D **4**
Corbets Av. *Upm* —4F **31**
Corbets Tey. —4G 31
Corbets Tey Rd. *Upm* —3F **31**
Corbett Rd. *E11* —4A **16**
Corcorans. *Pil H* —2E **3**
Cories Clo. *Dag* —1F **27**
Corkers Path. *Ilf* —1G **25**
Cormorant Wlk. *Horn* —5H **29**
Cornell Way. *Romf* —2A **10**
Cornflower Way. *Romf* —5C **12**
Cornshaw Rd. *Dag* —6F **19**
Cornsland. *Brtwd* —6F **3**
Cornsland Ct. *Brtwd* —6E **3**
Cornwall Clo. *Bark* —5B **26**
Cornwall Clo. *Horn* —2E **23**
Cornwallis Rd. *Dag* —3F **27**
Cornwall Rd. *Brtwd & Pil H* —1D **2**
Cornwell Cres. *E7* —3A **24**
Cornworthy Rd. *Dag* —4E **27**
Coronation Clo. *Ilf* —2G **17**
Coronation Dri. *Horn* —4H **29**
Cory Dri. *Hut* —3B **4**
Costead Mnr. Rd. *Brtwd* —4D **2**
Cotesmore Gdns. *Dag* —3E **27**
Cotleigh Rd. *Romf* —4D **20**
Cotman M. Dag —4E **27**
(off Highgrove Rd.)
Cotswold Gdns. *Hut* —3E **5**
Cotswold Gdns. *Ilf* —5H **17**
Cotswold Rd. *Romf* —6D **12**
Cottage M. *Horn* —2A **22**
Cottesmore Av. *Ilf* —6E **7**

Eaton Gdns. *Dag* —6G 27
Eaton Ri. *E11* —3A 16
Eccleston Cres. *Romf* —5D 18
Eddy Clo. *Romf* —4B 20
Edenhall Clo. *Romf* —2A 12
Edenhall Glen. *Romf* —2A 12
Edenhall Rd. *Romf* —2A 12
Edgar Rd. *Romf* —5F 19
Edgefield Av. *Bark* —6B 26
Edgefield Ct. *Bark* —6B 26
(off Edgefield Av.)
Edgehill Gdns. *Dag* —3A 28
Edinburgh Dri. *Romf* —2C 20
Edison Av. *Horn* —6F 21
Edison Clo. *Horn* —6E 21
Edith Rd. *E6* —6B 24
Edith Rd. *Romf* —5F 19
Edridge Clo. *Horn* —4B 30
Edward Clo. *Romf* —1A 22
Edward Mans. *Bark* —6B 26
(off Upney La.)
Edward Rd. *Romf* —4G 19
Edwards Clo. *Hut* —2E 5
Edwards Way. *Hut* —2E 5
Edwina Gdns. *Ilf* —3C 16
Egerton Gdns. *Ilf* —2B 26
Eighth Av. *E12* —3D 24
Eldenwall Ind. Est. *Dag* —6G 19
Elderfield Wlk. *E11* —3A 16
Eldred Gdns. *Upm* —3A 32
Eleanor Gdns. *Dag* —1H 27
Eleanor Way. *War* —2F 15
Electric Pde. *Ilf* —1A 26
Elgin Av. *Romf* —4F 13
Elgin Rd. *Ilf* —6A 18
Eliot Rd. *Dag* —3F 27
Elizabeth Av. *Ilf* —1H 25
Elizabeth Clo. *Romf* —5B 10
Elizabeth Ct. *Wfd G* —4A 6
Elizabeth Rd. *E6* —6B 24
Elizabeth Rd. *Pil H* —2D 2
Elkins, The. *Romf* —6E 11
Ellen Wilkinson Ho. *Dag* —2A 28
Ellerton Gdns. *Dag* —6E 27
Ellerton Rd. *Dag* —6E 27
Ellesmere Gdns. *Ilf* —3C 16
Elliott Gdns. *Romf* —5H 11
Ellmore Clo. *Romf* —5H 11
Elm Av. *Upm* —2F 31
Elmbridge Rd. *Ilf* —3C 8
Elm Clo. *E11* —4A 16
Elm Clo. *Romf* —5B 10
Elmcroft Av. *E11* —2A 16
Elmcroft Clo. *E11* —2A 16
Elmdene Av. *Horn* —2A 22
Elmer Av. *Hav* —1E 11
Elmer Clo. *Rain* —6G 29
Elmer Gdns. *Rain* —6G 29
Elm Gro. *Horn* —4C 22
Elm Hall Gdns. *E11* —3A 16
(in two parts)
Elmhurst Dri. *Horn* —6A 22
Elmhurst Rd. *E7* —6A 24
Elm Pde. *Horn* —3H 29
Elm Park. —3H 29
Elm Pk. Av. *Horn* —3G 29
Elm Rd. *Romf* —6B 10
Elms Farm Rd. *Horn* —4A 30
Elms Gdns. *Dag* —3H 27
Elms Ind. Est. *H Wood* —4F 13
Elmslie Clo. *Wfd G* —3D 6
Elmstead Rd. *Ilf* —1A 26
Elms, The. *Ilf* —5B 24
Elmswood. *Chig* —3H 7
Elm Wlk. *Romf* —1G 9
Elm Way. *Brtwd* —1C 14
Elsenham Rd. *E12* —4E 25
Elstow Gdns. *Dag* —6G 27
Elstow Rd. *Dag* —6G 27
Elstree Gdns. *Ilf* —4G 25
Eltisley Rd. *Ilf* —3F 25
Elvet Av. *Romf* —2A 22
Ely Gdns. *Dag* —2C 28
Ely Gdns. *Ilf* —5C 16
Ely Pl. *Wfd G* —3E 7
Embroidery Bus. Cen. *Wfd G* —6B 6
(off Southend Rd.)
Emerald Gdns. *Dag* —6A 20
Emerson Dri. *Horn* —5B 22
Emerson Park. 5B 22
Emerson Pk. Ct. *Horn* —5B 22
Emerson Rd. *Ilf* —5E 17
Emmaus Way. *Chig* —2E 7
Emmott Av. *Ilf* —3G 17

Empress Av. *E12* —1A 24
Empress Av. *Ilf* —1D 24
Emsworth Rd. *Ilf* —6F 7
Endsleigh Gdns. *Ilf* —1D 24
Enfield Ho. *Romf* —4C 12
(off Leyburn Cres.)
Engayne Gdns. *Upm* —6F 23
Ennerdale Av. *Horn* —4G 29
Epping Clo. *Romf* —1B 20
Epsom Ho. *Romf* —2C 12
(off Dagnam Pk. Dri.)
Epsom Rd. *Ilf* —4B 18
Epsom Way. *Horn* —3D 30
Eric Rd. *Romf* —6F 11
Erin Clo. *Ilf* —4C 18
Erith Cres. *Romf* —5C 10
Ernest Rd. *Horn* —4C 22
Erroll Rd. *Romf* —2F 21
Esdaile Gdns. *Upm* —5H 23
Esher Av. *Romf* —4F 13
Esher Rd. *Ilf* —2A 26
Esk Way. *Romf* —4D 10
Esmond Clo. *Rain* —6H 29
Essex Clo. *Romf* —2B 20
Essex Ct. *Romf* —4B 12
Essex Gdns. *Horn* —3E 23
ESSEX NUFFIELD HOSPITAL,
THE. —4G 3
Essex Rd. *E12* —4C 24
Essex Rd. *Bark* —6H 25
Essex Rd. *Chad H* —5E 19
Essex Rd. *Dag* —4C 28
Essex Rd. *Romf* —2B 20
Essex Way. *Gt War* —3E 15
Ethelbert Gdns. *Ilf* —3D 16
Ethelburga Rd. *Romf* —5D 12
Eton Rd. *Ilf* —3G 25
Etton Clo. *Horn* —1C 30
Eugene Clo. *Romf* —2A 22
Eustace Rd. *Romf* —6E 11
Evanston Gdns. *Ilf* —4C 16
Eva Rd. *Romf* —5E 19
Evelyn Sharp Clo. *Romf* —1B 22
Evelyn Sharp Ho. *Romf* —1B 22
Evelyn Wlk. *Gt War* —3E 15
Eversleigh Gdns. *Upm* —6H 23
Eversleigh Rd. *E6* —6B 24
Evesham Way. *Ilf* —1E 17
Ewanrigg Ter. *Wfd G* —2A 6
Ewan Rd. *H Wood* —6B 12
Ewellhurst Rd. *Ilf* —6C 6
Exchange St. *Romf* —3E 21
Exchange, The. *Ilf* —1F 25
Exeter Gdns. *Ilf* —6C 16
Exeter Ho. *Bark* —6C 26
(off Margaret Bondfield Av.)
Exeter Rd. *Dag* —5B 28
Exmoor Clo. *Ilf* —5F 7
Express Dri. *Ilf* —6D 18
Exton Gdns. *Dag* —4E 27
Eyhurst Av. *Horn* —2G 29
Eynsford Rd. *Ilf* —1A 26
Eyre Clo. *Romf* —2H 21

Fair Cross. —4A 26
Faircross Av. *Bark* —5G 25
Faircross Av. *Romf* —4D 10
Faircross Pde. *Bark* —4A 26
Fairfield Av. *Upm* —2G 31
Fairfield Clo. *Horn* —6G 21
Fairfield Rd. *Brtwd* —6E 3
Fairfield Rd. *Ilf* —5F 25
Fairford Clo. *Romf* —3F 13
Fairford Way. *Romf* —3F 13
Fairholme Av. *Romf* —3G 21
Fairholme Gdns. *Upm* —3B 32
Fairholme Rd. *Ilf* —5D 16
Fairkytes Av. *Horn* —6B 22
Fairlands. *Brtwd* —6C 2
Fairlawns Clo. *Romf* —5D 22
Fairlop. —5A 8
Fairlop Clo. *Horn* —5H 29
Fairlop Rd. *Ilf* —4G 7
Fairlop Rd. *Ilf* —6G 7
Fairmead Gdns. *Ilf* —3C 16
Fairoak Gdns. *Romf* —6E 11
Fairview Av. *Hut* —3E 5
Fairview Clo. *Chig* —1A 8
Fairview Dri. *Chig* —1A 8
Fairview Gdns. *Wfd G* —5A 6
Fairview Rd. *Chig* —1A 8
Fair Way. *Wfd G* —2A 6
Fairway Gdns. *Ilf* —4G 25
Fairway, The. *Upm* —5G 23

Falcon Ct. *E18* —1A 16
(off Albert Rd.)
Falconer Rd. *Ilf* —2D 8
Falcon Way. *Horn* —6G 29
Falkirk Clo. *Horn* —6E 23
Fallaize Av. *Ilf* —3F 25
Fallow Clo. *Chig* —2B 8
Falmouth Gdns. *Ilf* —2B 16
Fambridge Ct. *Romf* —3D 20
(off Marks Rd.)
Fambridge Rd. *Dag* —6A 20
Fanshawe Av. *Bark* —5G 25
Fanshawe Cres. *Dag* —4G 27
Fanshawe Cres. *Horn* —4B 22
Faringdon Av. *H Hill & Romf* —5A 12
Farley Dri. *Ilf* —6A 18
Farm Clo. *Buck H* —1A 6
Farm Clo. *Dag* —6C 28
Farm Clo. *Hut* —3C 4
Farm Way. *Buck H* —1A 6
Farmway. *Dag* —2E 27
Farm Way. *Horn* —3A 30
Farnes Dri. *Romf* —6A 12
Farnham Rd. *Ilf* —5B 18
Farnham Rd. *Romf* —2B 12
Farrance Rd. *Romf* —4G 19
Faulkner Clo. *Dag* —5F 19
Fauna Clo. *Romf* —4E 19
Fawn Rd. *Chig* —2B 8
Fawters Clo. *Hut* —2D 4
Fearns Mead. *War* —2E 15
Felbrigge Rd. *Ilf* —1B 26
Fels Clo. *Dag* —2B 28
Fels Farm Av. *Dag* —2C 28
Felstead Av. *Ilf* —5E 7
Felstead Clo. *Hut* —2C 4
Felstead Rd. *Romf* —4G 11
Fencepiece Rd. *Chig* —2G 7
Fenman Gdns. *Ilf* —6D 18
Fentiman Way. *Horn* —6C 22
Ferguson Av. *Romf* —6A 12
Ferguson Ct. *Romf* —6B 12
Fernbank Av. *Horn* —3A 30
Ferndale Rd. *E7* —6A 24
Ferndale Rd. *Romf* —6C 10
Ferndere Way. *Romf* —4B 20
Ferndown. *Horn* —4D 22
Fernhall Dri. *Ilf* —3B 16
Fernie Clo. *Chig* —2C 8
Fernie Way. *Chig* —2C 8
Fernleigh Ct. *Romf* —3C 20
Fernways. *Ilf* —3F 25
Field Clo. *Buck H* —1A 6
Fielding Way. *Hut* —2C 4
Fields Pk. Cres. *Romf* —3F 19
Fieldway. *Dag* —2E 27
Fiennes Clo. *Dag* —6E 19
Fifth Av. *E12* —3D 24
Finchingfield Av. *Wfd G* —4A 6
Finden Rd. *E7* —4A 24
Finnymore Rd. *Dag* —6G 27
Finucane Gdns. *Rain* —5G 29
Firham Pk. Av. *Romf* —4E 13
Firsgrove Cres. *Brtwd & War* —1D 14
Firsgrove Rd. *War* —1D 14
First Av. *E12* —3C 24
First Av. *Romf* —3E 19
Firs, The. *E6* —6C 24
Firs, The. *Pil H* —2C 2
Fir Tree Clo. *Romf* —1D 20
Fir Tree Wlk. *Dag* —2C 28
Fitzalian Av. *Romf* —5D 12
Fitzstephen Rd. *Dag* —4D 26
Five Elms Rd. *Dag* —2H 27
Five Oaks La. *Chig* —3G 9
Flamingo Wlk. *Horn* —6G 29
Flamstead Gdns. *Dag* —6E 27
Flamstead Rd. *Dag* —6E 27
Fleet Av. *Upm* —4H 23
Fleet Clo. *Upm* —4H 23
Fleming Gdns. *H Wood* —6B 12
Flemings. *Gt War* —3E 15
Fletcher Rd. *Chig* —2B 8
Flora Gdns. *Romf* —4E 19
Florence Clo. *Horn* —1C 30
Florence Ct. *E11* —2A 16
Florence Elson Clo. *E12* —2E 25
(off Grantham Rd.)
Fontayne Av. *Chig* —1G 7
Fontayne Av. *Rain* —6E 29
Fontayne Av. *Romf* —6E 11
Fonteyne Gdns. *Wfd G* —6B 6

Fontwell Pk. Gdns. *Horn* —3C 30
Forbes Clo. *Horn* —6H 21
Ford Clo. *Rain* —6F 29
Fordham Clo. *Horn* —5E 23
Ford La. *Rain* —6F 29
Ford Rd. *Dag* —6H 27
Fordyce Clo. *Horn* —5D 22
Fordyke Rd. *Dag* —1H 27
Foremark Clo. *Ilf* —2B 8
Forest Av. *Chig* —2E 7
Forest Dri. *E12* —2B 24
Forest Edge. *Buck H* —1A 6
Forest Ind. Pk. *Ilf* —5A 8
Forest La. *Chig* —2E 7
Forest Rd. *Ilf* —6H 7
Forest Rd. *Romf* —1B 20
Forest Ter. *Chig* —2E 7
Forest Vw. Rd. *E12* —3C 24
Forest Way. *Wfd G* —1A 6
Forres Ho. *War* —1E 15
Forsters Clo. *Romf* —4H 19
Forsythia Clo. *Ilf* —4F 25
Forterie Gdns. *Ilf* —2C 26
Forth Rd. *Upm* —4H 23
Fossway. *Dag* —1B 28
Fosters Clo. *E18* —5A 6
Four Oaks. *Brtwd* —6G 3
Fourth Av. *E12* —3D 24
Fourth Av. *Romf* —6D 20
Fowey Av. *Ilf* —3B 16
Fowler Rd. *Ilf* —3D 8
Fox Burrow Rd. *Chig* —1F 9
Fox Clo. *Romf* —2B 10
Foxes Gro. *Hut* —3H 5
Foxglove Gdns. *E11* —2A 16
Foxglove Rd. *Rush G* —1E 29
Foxhall Rd. *Upm* —4G 31
Foxlands Cres. *Dag* —4C 28
Foxlands La. *Dag* —4D 28
Foxlands Rd. *Dag* —4C 28
Francis Av. *Ilf* —1H 25
Francis Rd. *Ilf* —1H 25
Francis St. *Ilf* —1H 25
Francombe Gdns. *Romf* —3G 21
Frank Bailey Wlk. *E12* —4E 25
Frankland Clo. *Wfd G* —4E 25
Franklin Rd. *Horn* —5A 30
Franklyn Gdns. *Ilf* —3H 7
Franmil Rd. *Horn* —6G 21
Frazer Clo. *Romf* —5F 21
Freeborne Gdns. *Rain* —5G 29
Freeman Way. *Horn* —4D 22
Fremantle Rd. *Ilf* —6F 7
Freshfields Av. *Upm* —4F 31
Freshwater Rd. *Dag* —6F 19
Freshwell Av. *Romf* —2E 19
Friars Av. *Shenf* —4A 4
Friar's Clo. *Shenf* —3A 4
Friars, The. *Chig* —1A 8
Frimley Av. *Horn* —6E 23
Frimley Rd. *Ilf* —2A 26
Frinton M. *Ilf* —4E 17
Frinton Rd. *Romf* —4H 9
Friston Path. *Chig* —2A 8
Frizlands La. *Dag* —1B 28
Froghall La. *Chig* —1H 7
Front La. *Upm* —5A 32
Fry Clo. *Romf* —2A 10
Fry Ho. *E7* —6A 24
Fry Rd. *E6* —6A 24
Fuchsia Clo. *Rush G* —1E 29
Fuller Rd. *Dag* —2D 26
Fullers Clo. *Romf* —4C 10
Fullers La. *Romf* —4C 10
Fulwell Av. *Ilf* —5D 6
Fulwell Cross. *Ilf* —6C 7
Fulwell Pde. *Ilf* —5E 7
Fulmar Rd. *Horn* —6G 29
Fulwell Cross. —6G 7
Furness Rd. *Horn* —4G 29
Furze Farm Clo. *Romf* —6G 9
Fyfield Rd. *Rain* —6F 29
Fyfield Rd. *Wfd G* —4A 6

Gables, The. *Bark* —5G 25
Gabriel Clo. *Romf* —4C 10
Gadsden Clo. *Upm* —2A 32
Gainsborough Av. *E12* —4E 25
Gainsborough Ct. *Brtwd* —1E 15
(off Gt. Eastern Rd.)
Gainsborough Ho. *Dag* —3D 26
(off Gainsborough Rd.)
Gainsborough Pl. *Chig* —1B 8
Gainsborough Pl. *Hut* —4D 4

Gainsborough Rd. *Dag* —3D **26**
Gainsborough Rd. *Rain* —6G **29**
Gainsborough Rd. *Wfd G* —3C **6**
Gaitskell Ho. *E6* —6B **24**
Gale St. *Dag* —4E **27**
Gales Way. *Wfd G* —4C **6**
Galleywood Cres. *Romf* —3D **10**
Gallows Corner. —6A 12
Gallows Corner. (Junct.) —5A 12
Gants Hill. —4E 17
Gants Hill. (Junct.) —3E 17
Gantshill Cres. *Ilf* —3E **17**
Gants Hill Cross. *Ilf* —4E **17**
Garbutt Rd. *Upm* —1G **31**
Garden Vw. *E7* —3A **24**
Gardiners Clo. *Dag* —3F **27**
Gardner Clo. *E11* —4A **16**
Garland Way. *Horn* —2C **22**
Garner Clo. *Dag* —6F **19**
Garry Clo. *Romf* —4E **11**
Garry Way. *Romf* —4E **11**
Gartmore Rd. *Ilf* —1B **26**
Gascoyne Clo. *Romf* —4B **12**
Gatwick Way. *Horn* —2D **30**
Gayfere Rd. *Ilf* —1D **16**
Gay Gdns. *Dag* —3C **28**
Gaynes Ct. *Upm* —3F **31**
Gaynes Hill Rd. *Wfd G* —3C **6**
Gaynes Pk. Rd. *Upm* —3E **31**
Gaynes Rd. *Upm* —1F **31**
Gaysham Av. *Ilf* —3E **17**
Gaysham Hall. *Ilf* —1F **17**
Geariesville Gdns. *Ilf* —2F **17**
Geary Ct. *Brtwd* —4E **3**
Geary Dri. *Brtwd* —4E **3**
Geddy Ct. *Romf* —1H **21**
Gelsthorpe Rd. *Romf* —4B **10**
Geneva Gdns. *Romf* —3G **19**
Geoffrey Av. *Romf* —3E **13**
George Comberton Wlk. *E12* —4E **25**
Georges Dri. *Pil H* —1B **2**
George St. *Bark* —6G **25**
George St. *Romf* —4F **21**
Georgeville Gdns. *Ilf* —2F **17**
Gerald Rd. *Dag* —1H **27**
Gerpins La. *Upm* —6E **31**
Gerrard Cres. *Brtwd* —6E **3**
Gibbfield Clo. *Romf* —1G **19**
Gibraltar Clo. *Gt War* —3E **15**
Gibson Rd. *Dag* —6E **19**
Gidea Av. *Romf* —1G **21**
Gidea Clo. *Romf* —1G **21**
Gidea Park. —1H 21
Gifford Pl. *War* —2F **15**
Gilbert Rd. *Romf* —2F **21**
Gillam Way. *Rain* —5G **29**
Gillian Cres. *Romf* —4A **12**
Gillingham Ho. Romf —2C 12
(off Lindfield Rd.)
Gilroy Clo. *Rain* —5F **29**
Gladding Rd. *E12* —3B **24**
Glade Ct. *Ilf* —5D **6**
Glade Rd. *E12* —2D **24**
Glade, The. *Hut* —4A **4**
Glade, The. *Ilf* —5D **6**
Glade, The. *Upm* —4G **31**
Gladstone Av. *E12* —6C **24**
Glamis Dri. *Horn* —6C **22**
Glanmead. *Shenf* —4G **3**
Glanthams Clo. *Shenf* —5H **3**
Glanthams Rd. *Shenf* —5H **3**
Glanville Dri. *Horn* —6D **22**
Glastonbury Av. *Wfd G* —4B **6**
Glebelands Av. *Ilf* —5H **17**
Glebe Rd. *Dag* —5B **28**
Glebe Way. *Horn* —5C **22**
Glebe Way. *Wfd G* —2A **6**
Glencoe Av. *Ilf* —5H **17**
Glencoe Dri. *Dag* —3A **28**
Glendale Av. *Romf* —6B **18**
Glendale Clo. *Shenf* —4G **3**
Gleneagles Clo. *Romf* —4D **12**
Glenham Dri. *Ilf* —3F **17**
Glenny Rd. *Bark* —5G **25**
Glenparke Rd. *E7* —5A **24**
Glen Ri. *Wfd G* —3A **6**
Glenside. *Chig* —3F **7**
Glenthorne Gdns. *Ilf* —1E **17**
Glenton Clo. *Romf* —4E **11**
Glenton Way. *Romf* —4E **11**
Glenwood Dri. *Romf* —3G **21**
Glenwood Gdns. *Ilf* —3E **17**
Globe Rd. *Horn* —4G **21**
Globe Rd. *Wfd G* —3A **6**

Glossop Ho. Romf —2C 12
(off Lindfield Rd.)
Gloucester Av. *Horn* —2E **23**
Gloucester Gdns. *Ilf* —5C **16**
Gloucester Rd. *E11* —3A **16**
Gloucester Rd. *E12* —2D **24**
Gloucester Rd. *Pil H* —1D **2**
Gloucester Rd. *Romf* —4D **10**
Gloucester Rd. *Romf* —4E **21**
Gobions Av. *Romf* —3F **13**
Goddards Way. *Ilf* —6H **17**
Godwin Rd. *E7* —3A **24**
Goldhaze Clo. *Wfd G* —4B **6**
Golding Ct. *Ilf* —2E **25**
Goldsmere Ct. *Horn* —6C **22**
Goldsmith Av. *E12* —5C **24**
Goldsmith Av. *Romf* —5A **20**
Golfe Rd. *Ilf* —2H **25**
Goodey Rd. *Bark* —6A **26**
Goodmayes. —6C 18
Goodmayes Av. *Ilf* —6C **18**
GOODMAYES HOSPITAL. —3C 18
Goodmayes La. *Ilf* —3C **26**
Goodmayes Rd. *Ilf* —6C **18**
Goodwood Av. *Horn* —3C **30**
Goodwood Av. *Romf* —1G **19**
Gooshays Dri. *Romf* —2C **12**
Gooshays Gdns. *Romf* —3C **12**
Gordon Av. *Horn* —1F **29**
Gordon Rd. *E18* —5A **6**
Gordon Rd. *Chad H & Romf* —4H **19**
Gordon Rd. *Ilf* —2H **25**
Gordon Rd. *Shenf* —4A **4**
Goresbrook Rd. *Dag* —6D **26**
Goring Clo. *Romf* —5C **10**
Goring Gdns. *Dag* —3E **27**
Goring Rd. *Dag* —5D **28**
Gorseway. *Romf* —6E **21**
Gosfield Rd. *Dag* —1A **28**
Gosford Gdns. *Ilf* —3D **16**
Gosport Dri. *Horn* —5A **30**
Grace Clo. *Ilf* —3B **8**
Grafton Gdns. *Dag* —1G **27**
Grafton Rd. *Dag* —1G **27**
Graham Clo. *Hut* —1C **4**
Graham Mans. Bark —6C 26
(off Lansbury Av.)
Grange Cres. *Chig* —2H **7**
Grange Rd. *Ilf* —3F **25**
Grange Rd. *Romf* —3H **11**
Granger Way. *Romf* —4G **21**
Grange Way. *Wfd G* —1A **6**
Grangeway Gdns. *Ilf* —3C **16**
Grangewood Clo. *Brtwd* —6H **3**
Grangewood St. *E6* —6B **24**
Grantham Ct. *Romf* —5H **19**
Grantham Gdns. *Romf* —4H **19**
Grantham Rd. *E12* —3E **25**
Granton Av. *Upm* —2D **30**
Granton Rd. *Ilf* —6C **18**
Granville Rd. *E18* —6A **6**
Granville Rd. *Ilf* —6F **17**
Grasmere Gdns. *Ilf* —3D **16**
Grassmere Rd. *Horn* —2D **22**
Gray Av. *Dag* —6H **19**
Gray Gdns. *Rain* —5G **29**
Grays Ct. *Dag* —6B **28**
Grays Wlk. *Hut* —3D **4**
Great Cullings. *Romf* —1E **29**
Gt. Eastern Rd. *Brtwd & War* —1E **15**
Gt. Gardens Rd. *Horn* —4H **21**
Gt. Nelmes Chase. *Horn* —3D **22**
Great Oaks. *Chig* —1G **7**
Great Oaks. *Hut* —2B **4**
Gt. Ropers La. *War* —3C **14**
Great Warley. —5C 14
Gt. Warley St. *Gt War* —5C **14**
Greaves Clo. *Bark* —6H **25**
Greding Wlk. *Hut* —5B **4**
Green Banks. *Upm* —5A **32**
Greenfield Gdns. *Dag* —6F **27**
Greenfield Rd. *Dag* —6E **27**
Greenfields Clo. *Gt War* —3E **15**
Green Glades. *Horn* —4D **22**
Greenhill Gro. *E12* —3C **24**
Green La. *Brtwd* —4C **2**
Green La. *Ilf & Dag* —1H **25**
Green La. *Kel H* —4C **14**
Green La. *Pil H* —1D **2**
Greenleafe Dri. *Ilf* —1F **17**
Greenock Way. *Romf* —4E **11**
Greenshaw. *Brtwd* —4C **2**
Green Side. *Dag* —6E **19**
Greenslade Rd. *Bark* —6H **25**
Greenstead Av. *Wfd G* —4A **6**

Greenstead Clo. *Hut* —3E **5**
Greenstead Clo. *Wfd G* —3A **6**
Greenstead Gdns. *Wfd G* —3A **6**
Green St. *E7 & E13* —5A **24**
Green, The. *Hav* —1E **11**
Green Wlk. *Wfd G* —3C **6**
Greenway. *Dag* —2E **27**
Greenway. *Hut* —3A **4**
Greenway. *Romf* —3F **13**
Green Way. *Wfd G* —2A **6**
Greenways Ct. *Horn* —4B **22**
Greenwood Av. *Dag* —3B **28**
Greenwood Gdns. *Ilf* —4G **7**
Greenwood Mans. Bark —6C 26
(off Lansbury Av.)
Greenwood Rd. *Chig* —1D **8**
Gregory Rd. *Romf* —2F **19**
Grenfell Av. *Horn* —6F **21**
Grenfell Gdns. *Ilf* —3B **18**
Grenville Gdns. *Wfd G* —5A **6**
Gresham Clo. *Brtwd* —6E **3**
Gresham St. *Brtwd* —6E **3**
Gresham Dri. *Romf* —3D **18**
Gresham Rd. *Brtwd* —6E **3**
Greville Lodge. *E13* —6A **24**
Greyfriars. *Hut* —3B **4**
Greystone Gdns. *Ilf* —6G **7**
Grey Towers Av. *Horn* —5B **22**
Grey Towers Gdns. *Horn* —5A **22**
Gridiron Pl. *Upm* —2F **31**
Griffin Av. *Upm* —2A **32**
Griffith Clo. *Dag* —5E **19**
Griggs App. *Ilf* —1G **25**
Griggs Gdns. *Horn* —4A **30**
Grimshaw Way. *Romf* —3F **21**
Grimstone Clo. *Romf* —3B **10**
Grosvenor Dri. *Horn* —6A **22**
Grosvenor Gdns. *Romf* —6H **23**
Grosvenor Gdns. *Wfd G* —4A **6**
Grosvenor Rd. *E7* —5A **24**
Grosvenor Rd. *E11* —3A **16**
Grosvenor Rd. *Dag* —6H **19**
Grosvenor Rd. *Ilf* —2G **25**
Grosvenor Rd. *Romf* —5D **20**
Grove Ct. *Upm* —3E **31**
Grove Gdns. *Dag* —2C **28**
Grove Ho. *War* —1D **14**
Grove La. *Chig* —1B **8**
Gro. Park Rd. *Rain* —6G **29**
Grove Pl. *Bark* —6G **25**
Grove Rd. *Chad H & Romf* —5D **19**
Grove, The. *Brtwd* —1B **14**
Grove, The. *Upm* —3F **31**
Groveway. *Dag* —2F **27**
Grovewood Pl. *Wfd G* —3D **6**
Guardian Bus. Cen. *H Hill* —4B **12**
Guardian Clo. *Horn* —6H **21**
Guardsman Clo. *War* —2F **15**
Gubbins La. *H Wood & Romf*
—4D **12**
Guildford Gdns. *Romf* —3C **12**
Guildford Rd. *Ilf* —1A **26**
Guildford Rd. *Romf* —3C **12**
Gull Wlk. *Horn* —6H **29**
Gurney Clo. *Bark* —5F **25**
Guysfield Clo. *Rain* —6G **29**
Guysfield Dri. *Rain* —6G **29**
Gwendoline Av. *E13* —6A **24**
Gwynne Pk. Av. *Wfd G* —3D **6**
Gyllyngdune Gdns. *Ilf* —1B **26**

H

Hacton. —4D 30
Hacton Dri. *Horn* —3B **30**
Hacton La. *Horn & Upm* —1D **30**
Hacton Pde. *Horn* —2D **30**
Hadleigh Ct. *Brtwd* —6C **2**
Haigville Gdns. *Ilf* —2F **17**
Hailsham Clo. *Romf* —2A **12**
Hailsham Cres. *Bark* —5B **26**
Hailsham Gdns. *Romf* —2A **12**
Hailsham Rd. *Romf* —2A **12**
Hainault. —2C 8
Hainault Bus. Pk. *Ilf* —2E **9**
Hainault Forest Country Pk. —1F **9**
Hainault Gore. *Romf* —3G **19**
Hainault Gro. *Chig* —1G **7**
Hainault Ind. Est. *Ilf* —2E **9**
Hainault Rd. *Chig* —1F **7**
Hainault Rd. *Col R & Romf* —6C **10**
Hainault Rd. *Romf* —4D **8**
Hainault St. *Ilf* —1G **25**
Halbutt Gdns. *Dag* —2H **27**

Halbutt St. *Dag* —3H **27**
Halcyon Way. *Horn* —6D **22**
Haldon Clo. *Chig* —2A **8**
Hale End. *Romf* —3H **11**
Hale Ho. *Horn* —4G **21**
(off Benjamin Clo.)
Halesworth Clo. *Romf* —4C **12**
Halesworth Rd. *Romf* —3C **12**
Halidon Ri. *Romf* —3F **13**
Halifax Ho. Romf —2C 12
(off Lindfield Rd.)
Halley Rd. *E7 & E12* —5A **24**
Hall Grn. La. *Hut* —3C **4**
Hall La. *Shenf* —3H **3**
Hall La. *Upm* —6G **13**
Hall Pk. Rd. *Upm* —4G **31**
Hall Rd. *E6* —6D **24**
Hall Rd. *Chad H* —4E **19**
Hall Rd. *Gid P* —1H **21**
Hall Ter. *Romf* —4E **13**
Hallwood Cres. *Shenf* —3G **3**
Halstead Ho. Romf —3B 12
(off Dartfields)
Halstead Way. *Romf* —2C **4**
Hambro Ct. Shenf —2B 4
(off Rayleigh Rd.)
Hambro Rd. *Brtwd* —5F **3**
Hamden Cres. *Dag* —2B **28**
Hamilton Av. *Ilf* —2F **17**
Hamilton Av. *Romf* —6D **10**
Hamilton Cres. *War* —1E **15**
Hamilton Dri. *Romf* —6C **12**
Hamilton Rd. *Ilf* —3F **25**
Hamilton Rd. *Romf* —3H **21**
Hamlet Clo. *Romf* —4A **10**
Hamlet Rd. *Romf* —4A **10**
Hammonds Clo. *Dag* —2E **27**
Hammonds La. *Gt War* —3D **14**
Hampden Cres. *War* —1E **15**
Hampden Rd. *Romf* —4B **10**
Hampshire Rd. *Horn* —2E **23**
Hampstead Gdns. *Chad H* —3D **18**
Hampton Rd. *E7* —4A **24**
Hampton Rd. *Ilf* —3G **25**
Handforth Rd. *Ilf* —2F **25**
Hanging Hill La. *Brtwd & Hut* —6B **4**
Hannards Way. *Ilf* —2D **8**
Hanover Gdns. *Ilf* —4G **7**
Harbourer Clo. *Ilf* —2D **8**
Harbourer Rd. *Ilf* —2D **8**
Harcourt Av. *E12* —3D **24**
Harcourt M. *Romf* —3F **21**
Hardie Rd. *Dag* —2C **28**
Hardley Cres. *Horn* —2B **22**
Harebell Way. *Romf* —4B **12**
Hare Hall La. *Romf* —2H **21**
Haresfield Rd. *Dag* —5A **28**
Harewood Dri. *Ilf* —6D **6**
Harewood Rd. *Pil H* —2D **2**
Harkness Clo. *Romf* —2D **12**
Harlesden Clo. *Romf* —3D **12**
Harlesden Rd. *Romf* —3D **12**
Harlesden Wlk. *Romf* —4D **12**
Harlow Gdns. *Romf* —3C **10**
Harlow Mans. Bark —6F 25
(off Whiting Av.)
Harlow Rd. *Rain* —6F **29**
Harold Ct. *H Wood* —4F **13**
Harold Ct. Rd. *Romf* —3F **13**
Harold Hill. —3D 12
Harold Hill Ind. Est. *H Hill* —4B **12**
Harold Park. —3F 13
Harold Vw. *Romf* —6D **12**
Harold Wood. —5D 12
Harold Wood Hall. H Hill —5B 12
(off Widecombe Clo.)
HAROLD WOOD HOSPITAL. —5C 12
Harpenden Rd. *E12* —1A **24**
Harpour Rd. *Bark* —5G **25**
Harrier Av. *E11* —4A **16**
Harrier Rd. *Horn* —5H **29**
Harrison Clo. *Hut* —1D **4**
Harrison Rd. *Dag* —5B **28**
Harris Rd. *Dag* —4H **27**
Harrold Rd. *Dag* —4D **26**
Harrow Cres. *Romf* —4H **11**
Harrow Dri. *Horn* —4H **21**
Harrow Rd. *E6* —6C **24**
Harrow Rd. *Bark* —6A **26**
Harrow Rd. *Ilf* —3G **25**
Hart Ct. *E6* —6B **24**
Hart Cres. *Chig* —2B **8**
Hartland Rd. *Horn* —1G **29**
Harts La. *Bark* —5F **25**
Hart St. *Brtwd* —5E **3**

Iris Path. *Romf* —4A **12**
Irons Way. *Romf* —4C **10**
Isbell Gdns. *Romf* —4E **11**
Isis Dri. *Upm* —2A **32**
Iver Rd. *Pil H* —2D **2**
Ives Gdns. *Romf* —2F **21**
Ivinghoe Rd. *Dag* —4D **26**
Ivyhouse Rd. *Dag* —5F **27**
Ivy Lodge La. *H Wood* —5F **13**
Ivy Wlk. *Dag* —5G **27**

Jack Cook Ho. *Bark* —6F **25**
Jack Cornwell St. *E12* —3E **25**
Jackson Clo. *Horn* —2D **22**
Jacobs Av. *H Wood* —6C **12**
Jacobs Clo. *Dag* —3B **28**
Jade Clo. *Dag* —6E **19**
Jaffe Rd. *Ilf* —6H **17**
James Av. *Dag* —6H **19**
James Clo. *Romf* —3G **21**
James St. *Bark* —6G **25**
Janice M. *Ilf* —1F **25**
Janmead. *Hut* —3B **4**
Japan Rd. *Chad H & Romf* —4F **19**
Jarrow Rd. *Romf* —4E **19**
Jarvis Clo. *Bark* —6H **25**
Jarvis Way. *H Wood* —6C **12**
Jasmine Clo. *Ilf* —4F **25**
Jasmine Rd. *Rush G* —1E **29**
Jasmine Ter. *Pil H* —1B **2**
Jason Clo. *Brtwd* —1B **14**
Jefferson Clo. *Ilf* —3F **17**
Jenny Path. *Romf* —4B **12**
Jephson Rd. *E7* —6A **24**
Jerningham Av. *Ilf* —6F **7**
Jersey Rd. *Ilf* —3F **25**
Jersey Rd. *Rain* —6G **29**
Jervis Ct. *Dag* —5B **28**
Joan Gdns. *Dag* —1G **27**
Joan Rd. *Dag* —1G **27**
John Burns Dri. *Bark* —6A **26**
John Parker Clo. *Dag* —6B **28**
John's Ter. *Romf* —3F **13**
Jonathans. *Horn* —6C **22**
  (off High St.)
Jordan Clo. *Dag* —3B **28**
Joydon Dri. *Romf* —4D **18**
Joyes Clo. *Romf* —4D **18**
Joyners Clo. *Dag* —3H **27**
Jubilee Av. *Romf* —3B **20**
Jubilee Clo. *Romf* —3B **20**
Jubilee Mkt. *Wfd G* —3A **6**
Jubilee Pde. *Wfd G* —3A **6**
Judith Av. *Romf* —3B **10**
Judith Anne Ct. *Upm* —5A **32**
Junction Rd. *Brtwd & War* —1E **15**
Junction Rd. *Romf* —2F **21**
Junction Rd. E. *Romf* —5G **19**
Junction Rd. W. *Romf* —5G **19**
Juniper Ct. *Brtwd* —6H **3**
  (off Beech Av.)
Juniper Ct. *Romf* —4D **18**
Juniper Rd. *Ilf* —2E **25**
Juniper Way. *Romf* —5C **12**
Jutsums Av. *Romf* —4B **20**
Jutsums Ct. *Romf* —4B **20**
Jutsums La. *Romf* —4B **20**

Kandlewood. *Hut* —3B **4**
Karen Clo. *Brtwd* —3E **3**
Karina Clo. *Chig* —2A **8**
Katherine Gdns. *Ilf* —4G **7**
Katherine Rd. *E7 & E6* —4A **24**
Kavanaghs Rd. *Brtwd* —6C **2**
Kavanaghs Ter. *Brtwd* —6D **2**
Keats Av. *Romf* —4H **11**
Keats Clo. *Chig* —3G **7**
Keats Wlk. *Hut* —3D **4**
Keighley Rd. *Romf* —4C **12**
Keir Hardie Way. *Bark* —6C **26**
Keith Way. *Horn* —5C **22**
Keller Cres. *E12* —3B **24**
Kelly Way. *Romf* —3G **19**
Kelsie Way. *Ilf* —3A **8**
Kelston Rd. *Ilf* —6F **7**
Kelvedon Clo. *Hut* —2E **5**
Kelvedon Wlk. *Rain* —6F **29**
Kelvedon Way. *Wfd G* —3D **6**
Kemp Ho. *E6* —5E **25**
Kemp Rd. *Dag* —6F **19**
Kempton Av. *Horn* —3D **30**
Kempton Rd. *E6* —6D **24**
Kendal Av. *Bark* —6A **26**

Kendal Cft. *Horn* —4G **29**
Kendon Clo. *E11* —3A **16**
Kenilworth Av. *Romf* —3F **13**
Kenilworth Gdns. *Horn* —2A **30**
Kenilworth Gdns. *Ilf* —1B **26**
Kenley Gdns. *Horn* —1D **30**
Kennet Clo. *Upm* —2A **32**
Kenneth Av. *Ilf* —3F **25**
Kenneth More Rd. *Ilf* —2F **25**
Kenneth More Theatre. —2F **25**
Kenneth Rd. *Romf* —5F **19**
Kennylands Rd. *Ilf* —4C **8**
Kensington Av. *E12* —5C **24**
Kensington Dri. *Wfd G* —6B **6**
Kensington Gdns. *Ilf* —6D **16**
Kensington Rd. *Pil H* —2C **2**
Kensington Rd. *Romf* —4C **20**
Kent Dri. *Horn* —3B **30**
Kent Rd. *Dag* —4B **28**
Kent Vw. Gdns. *Ilf* —1A **26**
Kenway. *Romf* —6C **10**
Kenwood Gdns. *Ilf* —2E **17**
Keppel Rd. *E6* —6D **24**
Keppel Rd. *Dag* —3G **27**
Kernow Rd. *Horn* —1C **30**
Kerry Clo. *Ilf* —3E **25**
Kerry Dri. *Upm* —3B **32**
Kersey Gdns. *Romf* —4C **12**
Kershaw Clo. *Horn* —5C **22**
Kershaw Rd. *Dag* —2A **28**
Kesteven Clo. *Ilf* —3B **8**
Kestrel Clo. *Horn* —6H **29**
Kestrel Clo. *Ilf* —1D **8**
Kestrel Pk. *Hut* —1E **5**
Keswick Av. *Horn* —6B **22**
Keswick Gdns. *Ilf* —2C **16**
Keswick Ho. *Romf* —3B **12**
  (off Dartfields)
Kettering Rd. *Romf* —4C **12**
Khartoum Rd. *Ilf* —4F **25**
Kielder Clo. *Ilf* —3B **8**
Kildown Rd. *Ilf* —6H **7**
Kilmarnock Gdns. *Dag* —2E **27**
Kilmartin Rd. *Ilf* —1C **26**
Kilmartin Way. *Horn* —4H **29**
Kilmington Clo. *Hut* —5B **4**
Kiln Wood La. *Romf* —2D **10**
Kilsby Wlk. *Dag* —5D **26**
Kilworth Av. *Shenf* —2A **4**
Kimberley Av. *Ilf* —5H **17**
Kimberley Rd. *Romf* —4C **20**
Kimpton Av. *Brtwd* —3D **2**
Kinfauns Av. *Horn* —4A **22**
Kinfauns Rd. *Ilf* —6C **18**
Kingaby Gdns. *Rain* —6G **29**
King Alfred Rd. *Romf* —6D **12**
King Edward Rd. *Brtwd* —6E **3**
King Edward Rd. *Romf* —4F **21**
Kingfisher Av. *E11* —4A **16**
Kingfisher Clo. *Hut* —3A **4**
Kingfisher Dri. *Upm* —4B **32**
King George Av. *Ilf* —3H **17**
King George Clo. *Romf* —1C **20**
KING GEORGE HOSPITAL. —3C **18**
King Georges Rd. *Pil H* —2D **2**
Kings Arms Yd. *Romf* —3E **21**
Kings Av. *Romf* —4H **19**
King's Av. *Wfd G* —3A **6**
Kingsbridge Cir. *Romf* —3C **12**
Kingsbridge Clo. *Romf* —3C **12**
Kingsbridge Rd. *Romf* —3C **12**
King's Chase. *Brtwd* —6D **2**
Kings Gdns. *Ilf* —6H **17**
Kings Gdns. *Upm* —3A **32**
Kings Gro. *Romf* —3G **21**
Kingshill Av. *Romf* —3C **10**
Kingsley Clo. *Dag* —3B **28**
Kingsley Ct. *Romf* —4H **21**
Kingsley Rd. *Horn* —2B **22**
Kingsley Rd. *Ilf* —5G **7**
Kings Lynn Clo. *H Hill* —3B **12**
Kings Lynn Dri. *Romf* —3B **12**
Kings Lynn Path. *H Hill* —3B **12**
Kingsmead Av. *Romf* —4E **21**
Kingsmead Mans. *Romf* —4F **21**
  (off Kingsmead Av.)
Kingsmill Gdns. *Dag* —4H **27**
Kingsmill Rd. *Dag* —4H **27**
Kings Rd. *Bark* —6G **25**
King's Rd. *Brtwd* —5E **3**
King's Rd. *Romf* —3G **21**
Kingston Clo. *Romf* —1G **19**
  (in two parts)
Kingston Hill Av. *Romf* —1G **19**

Kingston Rd. *Ilf* —3F **25**
Kingston Rd. *Romf* —2F **21**
Kings Way. *Wfd G* —2A **6**
Kingswood Rd. *Ilf* —6C **18**
Kinnaird Way. *Wfd G* —3D **6**
Kirby Clo. *Ilf* —3A **8**
Kirby Clo. *Romf* —2E **13**
Kirkham Ho. *Romf* —2B **12**
  (off Montgomery Cres.)
Kirkland Av. *Ilf* —6E **7**
Kirklees Rd. *Dag* —4E **27**
Kirton Clo. *Horn* —5A **30**
Kitchener Rd. *E7* —5A **24**
Kitchener Rd. *Dag* —5B **28**
Knight Clo. *Dag* —1E **27**
Knighton Rd. *Romf* —4D **20**
Knighton Clo. *Wfd G* —1A **6**
Knighton Rd. *Romf* —4D **20**
Knightsbridge Gdns. *Romf* —3D **20**
Knights Way. *Brtwd* —6A **4**
Knights Way. *Ilf* —3G **7**
Komeheather Ho. *Ilf* —3D **16**
Kyme Rd. *Horn* —4F **21**
Kynance Clo. *Romf* —1A **12**

Laburnham Clo. *Upm* —3C **32**
Laburnham Gdns. *Upm* —3B **32**
Laburnum Av. *Horn* —1G **29**
Laburnum Wlk. *Horn* —4A **30**
Lacy Dri. *Dag* —2E **27**
Ladysmith Av. *E6* —5A **18**
Lagonda Av. *Ilf* —3B **8**
Laing Clo. *Ilf* —3H **7**
Lake Gdns. *Dag* —4A **28**
Lakeland Clo. *Chig* —1D **8**
Lake Ri. *Romf* —6F **11**
Lake Rd. *Romf* —6F **11**
Lakeside Av. *Ilf* —2B **16**
Lakeside Cres. *Brtwd* —6F **3**
Lamberhurst Rd. *Dag* —6H **19**
Lambley Rd. *Dag* —5D **26**
Lambourne Ct. *Wfd G* —4A **6**
Lambourne Dri. *Hut* —3E **5**
Lambourne Gdns. *Bark* —6B **26**
Lambourne Gdns. *Horn* —1B **30**
Lambourne Rd. *Bark* —6A **26**
Lambourne Rd. *Chig* —1B **8**
Lambourne Rd. *Ilf* —1A **26**
Lambs Mdw. *Wfd G* —6B **6**
Lamerton Rd. *Ilf* —6F **7**
Lampeter Ho. *Romf* —4C **12**
  (off Kingsbridge Cir.)
Lancaster Av. *Bark* —6A **26**
Lancaster Clo. *Pil H* —1C **2**
Lancaster Dri. *Horn* —4H **29**
Lancaster Pl. *Ilf* —4G **25**
Lancelot Rd. *Ilf* —3A **8**
Lancing Av. *Ilf* —4H **17**
Lancing Rd. *Romf* —4C **12**
Landscape Rd. *Wfd G* —4A **6**
Landseer Av. *E12* —4E **25**
Landseer Rd. *Horn* —6H **21**
Lane M. *E12* —2D **24**
Laneside Av. *Dag* —5H **19**
Langdale Clo. *Dag* —6E **19**
Langdale Gdns. *Horn* —4G **29**
Langford Grn. *Hut* —1C **4**
Langford Rd. *Wfd G* —3A **6**
Langham Ct. *Horn* —5B **22**
Langham Dri. *Romf* —4D **18**
Langhorne Rd. *Dag* —6A **28**
Langley Clo. *Romf* —4B **12**
Langley Cres. *E11* —5A **16**
Langley Cres. *Dag* —6E **27**
Langley Dri. *Brtwd* —6C **2**
Langley Gdns. *Dag* —6E **27**
Langport Ho. *Romf* —4C **12**
  (off Leyburn Rd.)
Lansbury Av. *Bark* —6C **26**
Lansbury Av. *Romf* —1A **20**
Lansdowne Ct. *Ilf* —1C **16**
Lansdowne Rd. *Ilf* —6B **18**
Lansdown Rd. *E7* —6A **24**
La Plata Gro. *Brtwd* —6D **2**
Larchwood Av. *Romf* —3B **10**
Larchwood Clo. *Romf* —3C **10**
Larchwood Gdns. *Pil H* —2C **2**
Larkin Clo. *Hut* —3C **4**
Larks Gro. *Bark* —6A **26**
Larkshall Ct. *Romf* —6C **10**
Lascelles Clo. *Pil H* —1C **2**
Latchett Rd. *E18* —5A **6**
Latchford Pl. *Chig* —1D **8**

Latching Clo. *Romf* —1B **12**
Latchingdon Gdns. *Wfd G* —3C **6**
Lathom Rd. *E6* —6C **24**
Latimer Dri. *Horn* —2B **30**
Latimer Rd. *E7* —3A **24**
Launceston Clo. *Romf* —5A **12**
Laura Clo. *E11* —3A **16**
Laurel Clo. *Hut* —1B **4**
Laurel Clo. *Ilf* —3H **7**
Laurel Ct. *Hut* —2C **4**
  (off Spinney, The)
Laurel Cres. *Romf* —6E **21**
Laurel La. *Horn* —1C **30**
Laurie Wlk. *Romf* —3E **21**
Lavender Av. *Pil H* —1D **2**
Lavender Clo. *Romf* —4B **12**
Lavender Pl. *Ilf* —4F **25**
Lavenha Ct. *Brtwd* —4F **3**
Lawford Clo. *Horn* —3A **30**
Lawn Dri. *E7* —3B **24**
Lawn Farm Gro. *Romf* —2G **19**
Lawns, The. *War* —2G **15**
  (off Uplands Rd.)
Lawnsway. *Romf* —4C **10**
Lawrence Av. *E12* —3E **25**
Lawrence Cres. *Dag* —2B **28**
Lawrence Rd. *E6* —6C **24**
Lawrence Rd. *Romf* —3H **21**
Leader Av. *E12* —4E **25**
Leafy Way. *Hut* —4D **4**
Leamington Clo. *E12* —4C **24**
Leamington Clo. *Romf* —3E **13**
Leamington Gdns. *Ilf* —1B **26**
Leamington Rd. *Romf* —2E **13**
Leas, The. *Upm* —5H **23**
Leasway. *Brtwd* —6F **3**
Leasway. *Upm* —3G **31**
Leather Clo. *Horn* —6H **29**
Leathart La. *Horn* —6B **22**
Lechmere App. *Wfd G* —6A **6**
Lechmere Av. *Chig* —1G **7**
Lechmere Av. *Wfd G* —6B **6**
Leconfield Wlk. *Horn* —5A **30**
Lee Av. *Romf* —4G **19**
Leeds Rd. *Ilf* —6H **17**
Lee Gdns. Av. *Horn* —6E **23**
Legon Av. *Romf* —6C **20**
Leicester Gdns. *Ilf* —5A **18**
Leicester Rd. *E11* —3A **16**
Leigh Av. *Ilf* —2B **16**
Leigh Dri. *Romf* —1B **12**
Leigh Rd. *E6* —5E **25**
Leighton Av. *E12* —4E **25**
Lennox Clo. *Romf* —4F **21**
Lennox Gdns. *Ilf* —6D **16**
Lens Rd. *E7* —6A **24**
Leonard Av. *Romf* —6D **20**
Leonard Way. *Brtwd* —1A **14**
Lessingham Av. *Ilf* —1E **17**
Lessington Av. *Romf* —4C **20**
Levett Gdns. *Ilf* —3B **26**
Levett Rd. *Bark* —5A **26**
Lewes Rd. *Romf* —1B **12**
Lewis Clo. *Shenf* —3H **3**
Lewis Rd. *Horn* —4A **22**
Lewis Way. *Dag* —5B **28**
Lexden Dri. *Romf* —4D **18**
Lexington Way. *Upm* —2B **32**
Leyburn Cres. *Romf* —4C **12**
Leyburn Rd. *Romf* —4C **12**
Leyland Gdns. *Wfd G* —2A **6**
Leys Av. *Dag* —6C **28**
Leys Clo. *Dag* —6D **28**
  (in two parts)
Ley St. *Ilf* —1F **25**
Leyswood Dri. *Ilf* —3A **18**
Liberty, The. *Romf* —3E **21**
Liberty 2 Cen. *Romf* —2F **21**
Library Hill. *Brtwd* —5F **3**
Lichfield Rd. *Dag* —3D **26**
Lichfield Ter. *Upm* —5A **32**
Lilac Clo. *Pil H* —1D **2**
Lilac Gdns. *Romf* —6E **21**
Lilian Cres. *Hut* —5C **4**
Lilian Gdns. *Wfd G* —5A **6**
Lillechurch Rd. *Dag* —5D **26**
Lilley Clo. *Brtwd* —1B **14**
Lilliput Rd. *Romf* —5D **20**
Limbourne Av. *Dag* —5H **19**
Lime Av. *Brtwd* —6H **3**
Lime Av. *Upm* —3E **31**
Lime Clo. *Romf* —2C **20**
Lime Gro. *Ilf* —3B **8**
Limerick Gdns. *Upm* —3B **32**
Limes Av. *E11* —2A **16**

Limes Av. *E12* —2C **24**
Limes Av. *Chig* —2G **7**
Limes Ct. *Brtwd* —4F **3**
Limes, The. *Brtwd* —6H **3**
Limewood Ct. *Ilf* —3D **16**
Lincoln Av. *Romf* —1D **28**
Lincoln Clo. *Horn* —3E **23**
Lincoln Gdns. *Ilf* —5C **16**
Lincoln Rd. *E7* —5B **24**
Lincoln Rd. *Bark* —6G **25**
Linden Ri. *War* —2F **15**
Linden St. *Romf* —2D **20**
Lindisfarne Rd. *Dag* —2E **27**
Lindsey Clo. *Brtwd* —1C **14**
Lindsey Rd. *Dag* —3E **27**
Lindsey Way. *Horn* —3A **22**
Lingfield Av. *Upm* —2D **30**
Link Pl. *Ilf* —3B **8**
Links Av. *Romf* —6H **11**
Linkside. *Chig* —2G **7**
Linkway. *Romf* —3E **27**
Link Way. *Horn* —6C **22**
Linkway Rd. *Brtwd* —6B **2**
Linley Cres. *Romf* —1B **20**
Linton Ct. *Romf* —6E **11**
Linton Rd. *Bark* —6G **25**
Lintons, The. *Bark* —6G **25**
Lion & Lamb Ct. *Brtwd* —5E **3**
(off William Hunter Way)
Liphook Clo. *Horn* —3F **29**
Lister Av. *H Wood* —6B **12**
Liston Way. *Wfd G* —4A **6**
Listowel Rd. *Dag* —2A **28**
Lit. Aston Rd. *Romf* —4E **13**
Lit. Gaynes Gdns. *Upm* —3F **31**
Lit. Gaynes La. *Upm* —3D **30**
Lit. Gerpins La. *Upm* —6D **30**
Little Heath. —2D **18**
Little Heath. *Chad H* —2D **18**
LITTLE HIGHWOOD HOSPITAL. —3D **2**
Little Ilford. —3E 25
Lit. Ilford La. *E12* —3D **24**
Littlemoor Rd. *Ilf* —2H **25**
Little Pastures. *Brtwd* —1B **14**
Little Russells. *Hut* —3E **5**
Little Warley. —6G 15
Lloyd Rd. *Dag* —5H **27**
Locke Clo. *Rain* —5F **29**
Lockwood Wlk. *Romf* —3E **21**
Lodge Av. *Dag* —6D **26**
Lodge Av. *Romf* —2G **21**
Lodge Clo. *Chig* —1C **8**
Lodge Clo. *Hut* —3E **5**
Lodge Ct. *Horn* —1C **30**
Lodge Hill. *Ilf* —2C **16**
Lodge La. *Romf* —4A **10**
Lombard Av. *Ilf* —6A **18**
Lombard Ct. *Romf* —2C **20**
(off Poplar St.)
Lombards, The. *Horn* —5D **22**
London Rd. *Bark* —6F **25**
London Rd. *Brtwd* —1B **14**
London Rd. *Romf* —4A **20**
Londons Clo. *Upm* —4G **31**
Longaford Way. *Hut* —4C **4**
Longbridge Rd. *Dag* —3D **26**
(off Gainsborough Rd.)
Longbridge Rd. *Bark* —5H **25**
Longdon Ct. *Romf* —3F **21**
Longfellow Dri. *Hut* —3C **4**
Longfield Av. *Horn* —5F **21**
Long Grn. *Chig* —1A **8**
Long Gro. *H Wood* —6C **12**
Longhayes Av. *Romf* —2F **19**
Longhayes Ct. *Romf* —2F **19**
Longmead Clo. *Shenf* —4G **3**
Long Mdw. *Hut* —5C **4**
Longport Clo. *Ilf* —3C **8**
Longridge Rd. *Bark & Dag* —6G **25**
Long Ridings Av. *Hut* —1B **4**
Longtown Clo. *Romf* —2A **12**
Longtown Rd. *Romf* —2A **12**
Longview Vs. *Romf* —5H **9**
Longview Way. *Romf* —5D **10**
Longwood Clo. *Upm* —4G **31**
Longwood Ct. *Romf* —4G **31**
(off Corbets Tey Rd.)
Longwood Gdns. *Ilf* —4D **16**
Lonsdale Av. *Hut* —2D **4**
Lonsdale Av. *Romf* —4C **20**
Lonsdale Cres. *Ilf* —4F **17**
Looe Gdns. *Ilf* —1F **17**
Lord Av. *Ilf* —2D **16**
Lord Gdns. *Ilf* —2C **16**

Lordship Clo. *Hut* —4D **4**
Lorne Gdns. *E11* —2A **16**
Lorne Rd. *E7* —3A **24**
Lorne Rd. *War* —1E **15**
Loudoun Av. *Ilf* —3F **17**
Lovelace Gdns. *Bark* —3C **26**
Loveland Mans. *Bark* —6B **26**
(off Upney La.)
Love La. *Wfd G* —3D **6**
Lovell Wlk. *Rain* —5G **29**
Lovers Wlk. *Romf* —2D **10**
Lowbrook Rd. *Ilf* —3F **25**
Lowe Clo. *Chig* —2C **8**
Lwr. Bedfords Rd. *Romf* —3E **11**
Lowe, The. *Chig* —2C **8**
Lowlands Gdns. *Romf* —3B **20**
Lowry Rd. *Dag* —4D **26**
Lowshoe La. *Romf* —5A **10**
Loxford. —4G 25
Loxford La. *Ilf* —4G **25**
Loxford Rd. *Bark* —5F **25**
Loxford Ter. *Bark* —5G **25**
Lucas Av. *E13* —6A **24**
Lucerne Way. *Romf* —3B **12**
Lucy Gdns. *Dag* —2G **27**
Lugg App. *E12* —2E **25**
Lullington Rd. *Dag* —6G **27**
Lulworth Dri. *Romf* —2B **10**
Lumiere Building, The. *E7* —4B **24**
(off Romford Rd.)
Lupin Clo. *Rush G* —1D **28**
Lupin Cres. *Ilf* —5F **25**
Luppits Clo. *Hut* —4A **4**
Luton Ho. *Romf* —2C **12**
(off Linfield Rd.)
Luxborough La. *Chig* —1C **6**
Lydeard Rd. *E6* —6D **24**
Lymington Rd. *Dag* —6F **19**
Lyndhurst Dri. *Horn* —6A **22**
Lyndhurst Gdns. *Bark* —5A **26**
Lyndhurst Gdns. *Ilf* —4H **17**
Lyndhurst Ri. *Chig* —1E **7**
Lyndhurst Way. *Hut* —4C **4**
Lynford Gdns. *Ilf* —1B **26**
Lynmouth Ho. *Romf* —2C **12**
(off Dagnam Pk. Dri.)
Lynnett Rd. *Dag* —1F **27**
Lynn Rd. *Ilf* —5H **17**
Lynross Clo. *Romf* —6D **12**
Lynton Av. *Romf* —5A **10**
Lynton Cres. *Ilf* —4F **17**
Lynton Ho. *Ilf* —1G **25**
Lynwood Clo. *E18* —5A **6**
Lynwood Clo. *Romf* —3B **10**
Lynwood Dri. *Romf* —3B **10**
Lyon Rd. *Romf* —5F **21**
Lytton Rd. *Romf* —3H **21**

Macclesfield Ho. *Romf* —2C **12**
(off Dagnam Pk. Dri.)
Macdonald Av. *Dag* —2B **28**
Macdonald Av. *Horn* —1C **22**
Macdonald Way. *Horn* —2C **22**
Macon Way. *Upm* —3A **32**
Madeira Gro. *Wfd G* —3A **6**
Madeira Wlk. *Brtwd* —6G **3**
Madeline Gro. *Ilf* —4H **25**
Madge Gill Way. *E6* —6C **24**
(off High St. N.)
Madras Rd. *Ilf* —3F **25**
Mafeking Av. *Ilf* —5H **17**
Magdalen Gdns. *Hut* —2E **5**
Magnolia Way. *Pil H* —1D **2**
Magpie La. *L War* —6F **15**
Maidstone Av. *Romf* —6C **10**
Main Rd. *Romf* —2F **21**
Maizey Ct. *Pil H* —1C **2**
Malan Sq. *Rain* —5H **29**
Maldon Rd. *Romf* —5C **20**
Maldon Wlk. *Wfd G* —3A **6**
Mallard Clo. *Upm* —3B **32**
Mallards Rd. *Wfd G* —4A **6**
Mallard Way. *Hut* —3B **4**
Mallinson Clo. *Horn* —4A **30**
Mall, The. *Dag* —5A **28**
Mall, The. *Horn* —6H **21**
Malpas Rd. *Dag* —5F **27**
Maltings, The. *Romf* —5F **21**
Malvern Dri. *Ilf* —3B **26**
Malvern Dri. *Wfd G* —2A **6**
Malvern Rd. *E6* —6C **24**
Malvern Rd. *Horn* —4G **21**
Manchester Way. *Dag* —3B **28**
Mandeville Wlk. *Hut* —3E **5**

Manford Clo. *Chig* —1C **8**
Manford Cross. *Chig* —2C **8**
Manford Way. *Chig* —2A **8**
Manning Rd. *Dag* —5A **28**
Mannin Rd. *Romf* —5D **18**
Manor Av. *E7* —3A **24**
Manor Av. *Horn* —3A **22**
Manor Clo. *Dag* —5D **28**
Manor Clo. *Romf* —3G **21**
Manor Ct. *Bark* —6B **26**
Manor Cres. *Horn* —3A **22**
Manor Park. —3C 24
Manor Park Crematorium. *E7* —3A **24**
Mnr. Park Rd. *E12* —3B **24**
Manor Rd. *Bark* —5B **26**
Manor Rd. *Chad H* —4F **19**
Manor Rd. *Dag* —5C **28**
Manor Rd. *Romf* —3G **21**
Manor Rd. *Wfd G & Chig* —3D **6**
Manor Sq. *Dag* —1E **27**
Manor Way. *Brtwd* —6C **2**
Manor Way. *Wfd G* —2A **6**
Manpreet Ct. *E12* —4D **24**
Mansard Clo. *Horn* —1G **29**
Mansfield Gdns. *Horn* —1B **30**
Mansfield Rd. *E11* —4A **16**
Mansfield Rd. *Ilf* —1E **25**
Mansted Gdns. *Romf* —5E **19**
Manston Way. *Horn* —5A **29**
Maple Av. *Upm* —2F **31**
Maple Clo. *Brtwd* —6H **3**
Maple Clo. *Horn* —2H **29**
Maple Clo. *Ilf* —2A **4**
Mapleleafe Gdns. *Ilf* —1F **17**
Maple St. *Romf* —2C **20**
Marchmant Clo. *Horn* —2A **30**
Marden Rd. *Romf* —4E **21**
Margaret Av. *Shenf* —3H **3**
Margaret Bondfield Av. *Bark* —6C **26**
Margaret Clo. *Romf* —3H **21**
Margaret Dri. *Horn* —6D **22**
Margaret Rd. *Romf* —3H **21**
Margaretting Rd. *E12* —6A **16**
Margaret Way. *Ilf* —4C **16**
Margery Rd. *Dag* —2F **27**
Mariam Gdns. *Dag* —1D **30**
Marina Gdns. *Romf* —3B **20**
Mariner Rd. *E12* —3E **25**
Marion Clo. *Ilf* —4H **7**
Market Link. *Romf* —2E **21**
Market Pl. *Romf* —3E **21**
Markham Ho. *Dag* —2A **28**
(off Uvedale Rd.)
Marks Gate. —5G 9
Marks Lodge. *Romf* —3D **20**
Marks Rd. *Romf* —3C **20**
Markyate Rd. *Dag* —4D **26**
Marlands Rd. *Ilf* —1C **16**
Marlborough Clo. *Upm* —4A **32**
Marlborough Dri. *Ilf* —1C **16**
Marlborough Gdns. *Upm* —6H **23**
Marlborough Rd. *E7* —6A **24**
Marlborough Rd. *Dag* —3D **26**
Marlborough Rd. *Pil H* —2C **2**
Marlborough Rd. *Romf* —2A **20**
Marlowe Clo. *Ilf* —5G **7**
Marlowe Gdns. *Romf* —5A **12**
Marlyon Rd. *Ilf* —2D **8**
Marquis Ct. *Bark* —4A **26**
Marshalls Dri. *Romf* —1E **21**
Marshalls Rd. *Romf* —2D **20**
Marston Av. *Dag* —1A **28**
Marston Clo. *Dag* —2A **28**
Marston Rd. *Ilf* —5C **6**
Martina Ter. *Chig* —2A **8**
Martin Gdns. *Dag* —3E **27**
Martin Rd. *Dag* —3E **27**
Martinsfield Clo. *Chig* —1A **8**
Martinstown Clo. *Horn* —4E **23**
Martlesham Clo. *Horn* —4A **30**
Martley Dri. *Ilf* —3F **17**
Marwell Clo. *Romf* —3H **21**
Mary Macarthur Ho. *Dag* —2A **28**
(off Wythenshawe Rd.)
Mascalls Gdns. *Brtwd* —1B **14**
Mascalls La. *Brtwd & Gt War* —1B **14**
MASCALLS PARK. —3D **14**
Masefield Clo. *Romf* —5H **11**
Masefield Ct. *Brtwd* —1E **15**
Masefield Cres. *Romf* —5A **12**
Masefield Dri. *Upm* —5G **23**
Mashiters Hill. *Romf* —5D **10**
Mashiters Wlk. *Romf* —1E **21**
Mason Dri. *H Wood* —6C **12**
Matlock Gdns. *Horn* —2C **30**

Matthews Clo. *Romf* —5D **12**
Mavis Gro. *Horn* —1C **30**
Mawney. —2C 20
Mawney Clo. *Romf* —6B **10**
Mawney Rd. *Romf* —6B **10**
Maxey Gdns. *Dag* —3G **27**
Maxey Rd. *Dag* —4G **27**
Maybank Av. *E18* —6A **6**
Maybank Av. *Horn* —4H **29**
Maybank Lodge. *Horn* —4A **30**
Maybank Rd. *E18* —5A **6**
Maybrick Rd. *Horn* —4A **22**
Maybush Rd. *Horn* —5C **22**
Mayesbrook Rd. *Ilf & Dag* —2C **26**
Mayesford Rd. *Romf* —5E **19**
Mayfair Av. *Ilf* —1D **24**
Mayfair Av. *Romf* —4F **19**
Mayfield Gdns. *Brtwd* —4D **2**
Mayfield Rd. *Dag* —6E **19**
Mayflower Ho. *Bark* —6H **25**
(off Westbury Rd.)
Mayflower Rd. *Gt War* —3E **15**
Mayflower Path. *Gt War* —3E **15**
Maygreen Cres. *Horn* —5G **21**
Mayland Mans. *Bark* —6F **25**
(off Whiting Av.)
Maylands Av. *Horn* —3H **29**
Maylands Way. *Romf* —3G **13**
Maynards. *Romf* —5C **22**
Maypole Cres. *Ilf* —4H **7**
Mayswood Gdns. *Dag* —5C **28**
Mayville Rd. *Ilf* —4F **25**
Maywin Dri. *Horn* —6D **22**
McIntosh Clo. *Romf* —1E **21**
McIntosh Rd. *Romf* —1E **21**
Mead Clo. *Romf* —6G **11**
Meadgate Av. *Wfd G* —2C **6**
Mead Gro. *Romf* —1F **19**
Meadowlands. *Horn* —5C **22**
Meadow Rd. *Bark* —6B **26**
Meadow Rd. *Dag* —5H **27**
Meadow Rd. *Romf* —6C **10**
Meadowside Rd. *Upm* —4G **31**
Meadow Wlk. *Dag* —5H **27**
Meadow Way. *Upm* —2G **31**
Meads La. *Ilf* —5A **18**
Meads, The. *Upm* —5A **32**
Meadsway. *Gt War* —3D **14**
Meadway. *Ilf* —3A **26**
Meadway. *Romf* —6G **11**
Mead Way. *Wfd G* —2A **6**
Meadway Ct. *Dag* —1H **27**
Meanley Rd. *E12* —3C **24**
Meath Rd. *Ilf* —2G **25**
Medora Rd. *Romf* —2D **20**
Medway Clo. *Ilf* —4G **25**
Meister Clo. *Ilf* —6H **17**
Melbourne Gdns. *Romf* —3G **19**
Melbourne Rd. *Ilf* —6F **17**
Meldrum Rd. *Ilf* —1C **26**
Melford Av. *Bark* —5A **26**
Melford Pl. *Brtwd* —4E **3**
Melford Rd. *Ilf* —1H **25**
Melksham Clo. *Romf* —4D **12**
Melksham Dri. *Romf* —4D **12**
Melksham Gdns. *Romf* —4C **12**
Melksham Grn. *Romf* —4D **12**
Mellish Way. *Horn* —3A **22**
Mellows Rd. *Ilf* —1D **16**
Melstock Av. *Upm* —3G **31**
Melton Gdns. *Romf* —5F **21**
Melville Ct. *H Hill* —4C **12**
Melville Rd. *Romf* —4B **10**
Mendip Rd. *Horn* —5G **21**
Mendip Rd. *Ilf* —3A **18**
Mendoza Clo. *Horn* —3C **22**
Menthone Pl. *Horn* —5B **22**
Mercury Gdns. *Romf* —2E **21**
Meriden Ct. *Ilf* —5G **7**
Merino Clo. *E11* —2A **16**
Merlin Clo. *Ilf* —2E **9**
Merlin Clo. *Romf* —3D **10**
Merlin Gdns. *Romf* —3D **10**
Merlin Gro. *Ilf* —4F **7**
Merlin Rd. *E12* —1B **24**
Merlin Rd. *Romf* —3D **10**
Mermagen Dri. *Rain* —6H **29**
Merritt Ho. *Romf* —5F **21**
(off Frazer Clo.)
Merrivale Av. *Ilf* —2B **16**
Mersea Ho. *Bark* —5F **25**
Mersey Av. *Upm* —4H **23**
Merten Rd. *Romf* —5G **19**
Merton Ct. *Ilf* —4C **16**
Merton Rd. *Bark* —6B **26**

Merton Rd. *Ilf* —5B **18**
Messant Clo. *H Wood* —6C **12**
Mews, The. *Ilf* —3B **16**
Mews, The. *Romf* —2E **21**
Meynell Rd. *Romf* —4H **11**
Michael Gdns. *Horn* —2B **22**
Michigan Av. *E12* —3D **24**
Middleborough Ho. *Romf* —4C **12**
 (off Kingsbridge Cir.)
Middlefield Gdns. *Ilf* —4F **17**
Middleton Gdns. *Ilf* —4F **17**
Middleton Hall La. *Brtwd & Shenf*
—5G **3**
Middleton Rd. *Shenf* —4G **3**
Midhurst Clo. *Horn* —3G **29**
Miers Clo. *E6* —6E **25**
Mighell Av. *Ilf* —3B **16**
Mildenhall Ho. *Romf* —2E **13**
 (off Redcar Rd.)
Mildmay Rd. *Ilf* —2F **25**
Mildmay Rd. *Romf* —3C **20**
Milkwell Gdns. *Wfd G* —4A **6**
Millais Av. *E12* —4E **25**
Millard Ter. *Dag* —5A **28**
Millbrook Gdns. *Chad H* —4H **19**
Millbrook Gdns. *Gid P* —6E **11**
Millennium Wlk. *Brtwd* —5F **3**
 (off William Hunter Way)
Millhaven Clo. *Romf* —4D **18**
Mill Hill. *Shenf* —3G **3**
Mill La. *Romf* —4G **19**
Mill Pk. Av. *Horn* —1C **30**
Mill Rd. *Ilf* —2E **25**
Mills Way. *Hut* —4C **4**
Millwell Cres. *Chig* —2H **7**
Milner Rd. *Dag* —1E **27**
Milton Av. *E6* —6B **24**
Milton Av. *Horn* —1F **29**
Milton Ct. *Chad H* —5E **19**
Milton Cres. *Ilf* —5F **17**
Milton Rd. *Romf* —4G **21**
Milton Rd. *War* —1E **15**
Milverton Gdns. *Ilf* —1B **26**
Mimosa Clo. *Pil H* —1D **2**
 (in two parts)
Mimosa Clo. *Romf* —4A **12**
Minehead Ho. *Romf* —2C **12**
 (off Dagnam Pk. Dri.)
Minster Ct. *Romf* —1E **31**
Minster Way. *Horn* —6D **22**
Miramar Way. *Horn* —4B **30**
Mirravale Trad. Est. *Dag* —5G **19**
Mitcham Rd. *Ilf* —5B **18**
Moby Dick. (Junct.) —2G **19**
Monega Rd. *E7 & E12* —5A **24**
Monkham's Av. *Wfd G* —3A **6**
Monkham's Dri. *Wfd G* —2A **6**
Monkham's La. *Buck H* —1A **6**
Monkham's La. *Wfd G* —1A **6**
 (in two parts)
Monkswood Gdns. *Ilf* —1E **17**
Monkwood Clo. *Romf* —3G **21**
Monmouth Av. *E18* —1A **16**
Monmouth Rd. *Dag* —4H **27**
Monteagle Av. *Bark* —5G **25**
Montfort Gdns. *Ilf* —3G **7**
Montgomery Cres. *Romf* —2A **12**
Montpelier Gdns. *Romf* —5E **19**
Montpellier Ho. *Chig* —2G **7**
Montreal Rd. *Ilf* —5G **17**
Montrose Av. *Romf* —4A **12**
Moore Ho. *Horn* —4G **21**
 (off Globe Rd.)
Moore's Pl. *Brtwd* —5F **3**
Moorland Clo. *Romf* —4B **10**
Moor La. *Upm* —4A **32**
Morant Gdns. *Romf* —2B **10**
Moray Clo. *Romf* —4E **11**
Moray Way. *Romf* —4D **10**
Mordaunt Gdns. *Dag* —6G **27**
Morden Rd. *Romf* —5G **19**
Mordon Rd. *Ilf* —5H **18**
Morecambe Clo. *Horn* —4H **29**
Morecombe Ho. *Romf* —2C **12**
 (off Dagnam Pk. Dri.)
Moreton Gdns. *Wfd G* —2C **6**
Morgan Clo. *Dag* —6A **28**
Morgan Way. *Wfd G* —3C **6**
Morland Rd. *Dag* —6A **28**
Morland Rd. *Ilf* —1F **25**
MORLAND ROAD DAY
HOSPITAL. —6A **28**
Morley Rd. *Romf* —3G **19**
Mornington Av. *Ilf* —5E **17**
Morrab Rd. *Ilf* —2B **26**

Morris Av. *E12* —4D **24**
Morris Rd. *Dag* —1H **27**
Morris Rd. *Romf* —4H **11**
Mortlake Rd. *Ilf* —5B **18**
Mortlock Ct. *E7* —3B **24**
Mosbach Gdns. *Hut* —5B **4**
Mossford Ct. *Ilf* —6F **7**
Mossford Grn. *Ilf* —1F **17**
Mossford La. *Ilf* —6F **7**
Moss La. *Romf* —4F **21**
Moss Rd. *Dag* —6A **28**
Moultrie Way. *Upm* —2A **32**
Mount Av. *Hut & Shenf* —2A **4**
Mount Av. *Romf* —3G **13**
Mount Cres. *War* —1F **15**
Mount Pleasant. *Ilf* —4G **25**
Mt. Pleasant Av. *Hut* —2E **5**
Mt. Pleasant Rd. *Chig* —1H **7**
Mt. Pleasant Rd. *Romf* —3D **10**
Mount Rd. *Dag* —6H **19**
Mount, The. *Romf* —1A **12**
Mowbrays Clo. *Romf* —5C **10**
Mowbrays Rd. *Romf* —6C **10**
Muggeridge Rd. *Dag* —3B **28**
Mulberry Clo. *Romf* —2A **22**
Mulberry Ct. *Bark* —6B **26**
Mulberry Hill. *Shenf* —3H **3**
Mulberry Way. *E18* —6A **6**
Mulberry Way. *Ilf* —2G **17**
Mundon Gdns. *Ilf* —6H **17**
Mungo Pk. Rd. *Rain* —5G **29**
Murfitt Way. *Upm* —3E **31**
Murtwell Dri. *Chig* —3G **7**
Myrtle Rd. *Ilf* —1F **25**
Myrtle Rd. *Romf* —3A **12**
Myrtle Rd. *War* —1E **15**

Nags Head La. *Upm & Brtwd*
—6G **13**
Nantwich Ho. *Romf* —2C **12**
 (off Lindfield Rd.)
Napier Clo. *Horn* —6H **21**
Narboro Ct. *Romf* —3G **21**
Naseby Rd. *Dag* —2A **28**
Naseby Rd. *Ilf* —5D **6**
Nash Rd. *Chad H & Romf* —2F **19**
Natal Rd. *Ilf* —3F **25**
Natasha Rd. *Romf* —4A **12**
Nathan Clo. *Romf* —4A **32**
Naunton Way. *Horn* —2B **30**
Navarre Gdns. *Romf* —2B **10**
Navestock Cres. *Wfd G* —4A **6**
Nazeing Wlk. *Rain* —6F **29**
Neasham Rd. *Dag* —4D **26**
Neave Cres. *Romf* —5A **12**
Nelmes Clo. *Horn* —3D **22**
Nelmes Cres. *Horn* —3C **22**
Nelmes Rd. *Horn* —5C **22**
Nelmes Way. *Horn* —2B **22**
Nelson Rd. *Romf* —5B **10**
Nelson Clo. *War* —2F **15**
Nelson Ho. *Romf* —2C **12**
 (off Lindfield Rd.)
Nelwyn Av. *Horn* —3D **22**
Netherfield Gdns. *Bark* —5H **25**
Netherpark Dri. *Romf* —6F **11**
Netley Rd. *Ilf* —3H **17**
Neville Gdns. *Dag* —2F **27**
Neville Rd. *E7* —6A **24**
Neville Rd. *Dag* —1F **27**
Neville Rd. *Ilf* —5G **17**
Nevis Clo. *Romf* —3E **11**
New Barns Way. *Chig* —1F **7**
Newbury Clo. *Romf* —3A **12**
Newbury Gdns. *Romf* —3B **12**
Newbury Gdns. *Upm* —2D **30**
Newbury Park. —3G **17**
Newbury Rd. *Ilf* —4A **18**
Newbury Rd. *Romf* —2B **12**
Newbury Wlk. *Romf* —2B **12**
Newcastle Av. *Ilf* —3C **8**
New Forest La. *Chig* —3E **7**
New Hall Dri. *Romf* —5C **12**
Newhouse Av. *Romf* —1F **19**
Newlands Clo. *Hut* —3D **4**
Newman Clo. *Horn* —3C **22**
Newmans Dri. *Hut* —3C **4**
Newmarket Ho. *Romf* —2C **12**
 (off Lindfield Rd.)
Newmarket Way. *Horn* —3C **30**
New N. Rd. *Ilf* —4H **7**
New Pl. Gdns. *Upm* —1H **31**
New Rd. *Brtwd* —5F **3**
New Rd. *Ilf* —1A **26**

Newstead Ho. *Romf* —1B **12**
 (off Troopers Dri.)
Newton Ind. Est. *Romf* —2F **19**
Newton Rd. *Chig* —2D **8**
Newtons Clo. *Rain* —6F **29**
Nicholas Rd. *Dag* —1H **27**
Nicola M. *Ilf* —4F **7**
Nigel M. *Ilf* —3F **25**
Nigel Rd. *E7* —4A **24**
Nightingale Av. *Upm* —4B **32**
Nine Acres Clo. *E12* —4C **24**
Nita Rd. *War* —2E **15**
Noak Hill Rd. *Noak H & Romf* —2H **11**
Noel Sq. *Dag* —3E **27**
Nonsuch Clo. *Ilf* —3F **7**
Norbury Gdns. *Romf* —3F **19**
Norfolk Rd. *Bark* —6A **26**
Norfolk Rd. *Dag* —4B **28**
Norfolk Rd. *Ilf* —6A **18**
Norfolk Rd. *Romf* —4C **20**
Norfolk Rd. *Upm* —2E **31**
Norman Clo. *Romf* —5B **10**
Norman Ct. *Ilf* —5H **17**
Norman Cres. *Brtwd* —6A **4**
Normanhurst. *Hut* —2C **4**
Norman Rd. *Horn* —5G **21**
Norman Rd. *Ilf* —4H **25**
Norseman Clo. *Ilf* —6D **18**
Northallerton Way. *Romf* —2B **12**
Northampton Ho. *Romf* —1C **12**
 (off Broseley Rd.)
Northbrook Rd. *Ilf* —1E **25**
North Clo. *Chig* —2C **8**
N. Cross Rd. *Ilf* —2G **17**
Northdene. *Chig* —2H **7**
Northdown Gdns. *Ilf* —3A **18**
Northdown Rd. *Horn* —5H **21**
North Dri. *Romf* —6A **24**
North Dri. *Romf* —1A **22**
Northend. *War* —2E **15**
Northfield Gdns. *Dag* —3H **27**
Northfield Path. *Dag* —3H **27**
Northfield Rd. *E6* —6D **24**
Northfield Rd. *Dag* —3H **27**
Northgate Ind. Est. *Romf* —5H **9**
N. Hill Dri. *Romf* —1B **12**
N. Hill Grn. *Romf* —1B **12**
Northolt Way. *Horn* —5A **30**
North Rd. *Brtwd* —4E **3**
North Rd. *Chad H* —3G **19**
North Rd. *Ilf* —1A **26**
N. Road Av. *Brtwd* —4E **3**
N. Service Rd. *Brtwd* —5E **3**
North St. *Bark* —5F **25**
 (Barking Northern Relief Rd.)
North St. *Bark* —6G **25**
 (London Rd.)
North St. *Horn* —6B **22**
North St. *Romf* —1D **20**
Northumberland Av. *E12* —6A **16**
Northumberland Av. *Horn* —3A **22**
Northview Dri. *Wfd G* —6B **6**
Northwood Av. *Horn* —3G **29**
Northwood Gdns. *Ilf* —2E **17**
Norton Rd. *Dag* —5D **28**
Norwich M. *Ilf* —6C **18**
Norwood Av. *Romf* —5E **21**
Norwood Rd. *Dag* —6G **27**
Nuneaton Rd. *Dag* —6G **27**
Nursery Clo. *Romf* —4F **19**
Nursery Wlk. *Romf* —5D **20**
Nutfield Gdns. *Ilf* —1D **26**
Nutter La. *E11* —4A **16**
Nyssa Clo. *Wfd G* —3D **6**
Nyth Clo. *Upm* —4H **23**

Oak Av. *Upm* —2F **31**
Oakbank. *Hut* —1E **5**
Oakdale Rd. *E7* —6A **24**
Oakdale Rd. *E18* —6A **6**
Oakdene. *Romf* —6D **12**
Oakdene Clo. *Horn* —4H **21**
Oakfield Lodge. *Ilf* —2F **25**
 (off Albert Rd.)
Oakfield Rd. *Ilf* —2F **25**
Oak Glen. *Horn* —1C **22**
Oakhall Ct. *E11* —4A **16**
Oak Hall Rd. *E11* —4A **16**
Oakhurst Clo. *Ilf* —5F **7**
Oakland Gdns. *Hut* —1C **4**
Oaklands Av. *Romf* —1E **21**
Oaklands Pk. Av. *Ilf* —1G **25**
Oakleafe Gdns. *Ilf* —1F **17**
Oakley Av. *Bark* —6B **26**
Oakley Dri. *Romf* —2E **13**

Oak Lodge Av. *Chig* —2H **7**
Oakmoor Way. *Chig* —2A **8**
Oak Rd. *Romf* —5D **12**
Oaks Av. *Romf* —6C **10**
Oaks La. *Ilf* —3A **18**
Oak St. *Romf* —3C **20**
Oaktree Clo. *Brtwd* —6H **3**
Oaktree Gro. *Ilf* —4H **25**
Oakwood Av. *Hut* —2E **5**
Oakwood Chase. *Horn* —4D **22**
Oakwood Clo. *Wfd G* —3C **6**
Oakwood Ct. *E6* —6C **24**
Oakwood Gdns. *Ilf* —1B **26**
Oates Rd. *Romf* —2B **10**
Ockendon Rd. *N Ock & Upm* —4G **31**
Oglethorpe Rd. *Dag* —2H **27**
Okehampton Rd. *H Hill* —3A **12**
Okehampton Sq. *Romf* —3A **12**
Oldchurch Gdns. *Romf* —5D **20**
OLDCHURCH HOSPITAL. —4E **21**
Oldchurch Ri. *Romf* —5E **21**
Oldchurch Rd. *Romf* —5D **20**
Oldegate Ho. *E6* —6B **24**
Oldfields. *War* —1E **15**
Oldmead Ho. *Dag* —5B **28**
Old Mill Clo. *E18* —1A **16**
Old Mill Pde. *Romf* —3F **21**
Old Mill Pl. *Romf* —4D **20**
Old Sungate Cotts. *Romf* —5H **9**
Oliver Rd. *Shenf* —1A **4**
Olive St. *Romf* —3D **20**
Ongar Clo. *Romf* —3E **19**
Ongar Pl. *Brtwd* —5F **3**
Ongar Rd. *Brtwd & Kel H* —1B **2**
Ongar Way. *Rain* —6E **29**
Onslow Gdns. *E18* —1A **16**
Opal M. *Ilf* —1F **25**
Orange Tree Hill. *Hav* —2D **10**
Orbital Cen., The. *Wfd G* —6B **6**
Orchard Av. *Brtwd* —6H **3**
Orchard La. *Pil H* —1B **2**
Orchard La. *Wfd G* —1A **6**
Orchard Rd. *Romf* —5B **10**
Orchid Ct. *Rush G* —1E **29**
Orchis Way. *Romf* —3D **12**
Oregon Av. *E12* —3D **24**
Oriel Gdns. *Ilf* —1D **16**
Ormond Clo. *H Wood* —6B **12**
Ormonde Ct. *Romf* —5F **21**
 (off Clydesdale Rd.)
Orsett Ter. *Wfd G* —4A **6**
Orton Ho. *Romf* —4C **12**
 (off Leyburn Rd.)
Osborne Clo. *Horn* —4H **21**
Osborne Rd. *Dag* —4H **27**
Osborne Rd. *Horn* —4H **21**
Osborne Rd. *Pil H* —2C **2**
Osborne Sq. *Dag* —3H **27**
Osier Ct. *Romf* —4D **20**
Osprey Ct. *Brtwd* —6D **2**
Otley App. *Ilf* —4F **17**
Otley Dri. *Ilf* —3F **17**
Ottawa Gdns. *Dag* —6D **28**
Oulton Cres. *Bark* —4B **26**
Oundle Ho. *H Hill* —2B **12**
 (off Montgomery Cres.)
Outram Rd. *E6* —6C **24**
Overton Dri. *Romf* —5E **19**
Owen Clo. *Romf* —3B **10**
Owen Gdns. *Wfd G* —3C **6**
Owlets Hall Clo. *Horn* —1D **22**
Oxford Av. *Horn* —2E **23**
Oxford Ct. *War* —1F **15**
Oxford Rd. *Ilf* —4G **25**
Oxford Rd. *Romf* —3D **12**
Oxford Rd. *Wfd G* —6B **6**
Oxley Clo. *Romf* —6A **12**
Oxlow La. *Dag* —3H **27**
Oxted Ho. *Romf* —2D **12**
 (off Redcar Rd.)

Pace Heath Clo. *Romf* —3D **10**
Padnall Ct. *Romf* —1F **19**
Padnall Rd. *Chad H & Romf* —1F **19**
Page Clo. *Dag* —4G **27**
Pages La. *Romf* —6F **13**
Paget Rd. *Ilf* —3F **25**
Pagles Fld. *Hut* —2C **4**
Paines Brook Rd. *Romf* —3D **12**
Paines Brook Way. *Romf* —3D **12**
Painters Rd. *Ilf* —1B **18**
Palmer Rd. *Dag* —6F **19**
Palmerston Rd. *E7* —5A **24**
Palm Rd. *Romf* —3C **20**

Panfield M. *Ilf* —4E **17**
Parade, The. *Bark* —6E **3**
Parade, The. *Romf* —3F **13**
Parham Dri. *Ilf* —4F **17**
Parish Clo. *Horn* —1H **29**
Parish Cotts. *Dag* —1A **28**
Park Av. *Bark* —5G **25**
Park Av. *Hut* —4C **4**
Park Av. *Ilf* —6E **17**
Park Av. *Upm* —3A **32**
Park Boulevd. *Romf* —5F **11**
Park Cres. *Horn* —5G **21**
Park Dri. *Dag* —2C **28**
Park Dri. *Romf* —2D **20**
Park Dri. *Upm* —3F **31**
Pk. End Rd. *Romf* —2E **21**
Parkes Rd. *Chig* —2A **8**
Pk. Farm Rd. *Upm* —4D **30**
Parkhill Clo. *Horn* —1A **30**
Parkhurst Rd. *Ilf* —3E **25**
Parkland Av. *Romf* —1E **21**
Parkland Av. *Upm* —4F **31**
Park La. *Chad H* —4F **19**
Park La. *Elm P* —5H **19**
Park La. *Horn* —4F **21**
Park M. *Rain* —5G **29**
Park Rd. *E6* —6A **24**
Park Rd. *E12* —6A **16**
Park Rd. *Brtwd* —5D **2**
Park Rd. *Ilf* —2H **25**
Parkside Av. *Romf* —1D **20**
Parkside Ho. *Dag* —2C **28**
Parkstone Av. *Horn* —4B **22**
Pk. Vale Ct. *Brtwd* —4E **3**
Park Vw. *Chad H* —4F **19**
Pk. View Gdns. *Ilf* —2D **16**
Park Vs. *Romf* —4F **19**
Park Way. *Ilf* —2B **26**
Parkway. *Romf* —6F **11**
Park Way. *Shenf* —4H **3**
Park Way. *Upm* —2A **6**
Parsloes Av. *Dag* —3F **27**
Pasteur Dri. *H Wood* —6B **12**
Pasture Rd. *Dag* —3H **27**
Patmore Way. *Romf* —2B **10**
Patricia Dri. *Horn* —6C **22**
Paul Ct. *Romf* —3C **20**
Pavement M. *Romf* —5F **19**
Pavet Clo. *Dag* —5B **28**
Pavilion Rd. *Ilf* —5D **16**
Pavilion Ter. *Ilf* —3A **18**
Payne Clo. *Bark* —6B **26**
Peacock Clo. *Horn* —6C **22**
Peaketon Av. *Ilf* —2B **16**
Peartree Gdns. *Dag* —3D **26**
Peartree Rd. *Romf* —6B **10**
Pease Clo. *Horn* —6H **29**
Pedley Rd. *Dag* —6E **19**
Peel Dri. *Ilf* —1C **16**
Peel Pl. *Ilf* —6C **6**
Peel Way. *Romf* —6D **12**
Peerage Way. *Horn* —5C **22**
Pegelm Gdns. *Horn* —5D **22**
Pelham Rd. *Ilf* —1H **25**
Pemberton Av. *Romf* —1H **21**
Pemberton Gdns. *Romf* —3G **19**
Pembrey Way. *Horn* —5A **30**
Pembroke Clo. *Horn* —2D **22**
Pembroke Gdns. *Dag* —2B **28**
Pembroke Rd. *Ilf* —6B **18**
Penge Rd. *E13* —6A **24**
Penhurst Rd. *Ilf* —4F **7**
Penistone Wlk. *Romf* —3A **12**
Penn Gdns. *Romf* —4A **10**
Pennington Dri. *Romf* —2B **10**
Pennyfields. *Brtwd & War* —1E **15**
Penrith Cres. *Rain* —4G **29**
Penrith Rd. *Ilf* —3B **8**
Penrith Rd. *Romf* —3E **13**
Pentire Clo. *Upm* —2A **32**
Penzance Gdns. *Romf* —3E **13**
(in two parts)
Penzance Rd. *Romf* —3E **13**
Peony Clo. *Pil H* —2D **2**
Percival Gdns. *Romf* —4E **19**
Percival Rd. *Horn* —4A **22**
Percy Rd. *Ilf* —5C **18**
Percy Rd. *Romf* —1B **20**
Peregrine Rd. *Ilf* —2D **8**
Peregrine Wlk. *Horn* —5H **29**
Perkins Rd. *Ilf* —3H **17**
Perrymans Farm Rd. *Ilf* —4H **17**
Pershore Clo. *Ilf* —3F **17**
Perth Rd. *Ilf* —4E **17**
Perth Ter. *Ilf* —5G **17**

Petands Ct. *Horn* —2B **30**
(off Randall Dri.)
Peterborough Av. *Upm* —4A **32**
Peterborough Gdns. *Ilf* —5C **16**
Peters Clo. *Dag* —6F **19**
Petersfield Av. *Romf* —3C **12**
Petersfield Clo. *Romf* —3E **13**
Pett Clo. *Horn* —1H **29**
Pettits Boulevd. *Romf* —5E **11**
Pettits Clo. *Romf* —6E **11**
Pettits La. *Romf* —6E **11**
Pettits La. N. *Romf* —5D **10**
Pettits Pl. *Dag* —4A **28**
Pettits Rd. *Dag* —4A **28**
Pettley Gdns. *Romf* —3D **20**
Petworth Way. *Horn* —3F **29**
Peverel Ho. *Dag* —1A **28**
Philan Way. *Romf* —3D **10**
Philip Av. *Romf* —6D **20**
Philip Clo. *Pil H* —2D **2**
Philip Clo. *Romf* —6D **20**
Phillida Rd. *Romf* —6E **13**
Philpot Path. *Ilf* —2G **25**
Pike La. *Upm* —6B **32**
Pilgrim's Clo. *Pil H* —1B **2**
Pilgrims Hatch. —2D **2**
Pilgrims La. *Pil H* —1A **2**
Pimpernel Way. *Romf* —3B **12**
Pinecourt. *Upm* —3F **31**
Pinecroft. *Gid P* —2A **22**
Pinecroft. *Hut* —3B **4**
Pinewood Rd. *Hav* —1C **10**
Pinewood Way. *Hut* —1D **4**
Pinley Gdns. *Dag* —6D **26**
Pintail Rd. *Wfd G* —4A **6**
Pioneer Mkt. Ilf —2F **25**
(off Winston Way)
Pitcairn Clo. *Romf* —2A **20**
Pittman Gdns. *Ilf* —4G **25**
Pittwood. *Shenf* —4A **4**
Plantagenet Gdns. *Romf* —5F **19**
Plantagenet Pl. *Romf* —5F **19**
Plashet. —5C **24**
Plashet Gdns. *Brtwd* —6A **4**
Plashet Gro. *E6* —6A **24**
Plashet Rd. *E13* —6A **24**
Platford Grn. *Horn* —2C **22**
Playfield Av. *Romf* —5C **10**
Plough Ri. *Upm* —3A **32**
Plover Gdns. *Upm* —4B **32**
Plowman Way. *Dag* —6E **19**
Plumpton Av. *Horn* —3C **30**
Plumtree Clo. *Dag* —5B **28**
Plymouth Ho. Bark —6C **26**
(off Keir Hardie Way)
Polesworth Rd. *Dag* —6F **27**
Pollard Clo. *Chig* —2C **8**
Pompadour Clo. *War* —2E **15**
Pondfield La. *Brtwd* —6A **4**
Pondfield Rd. *Dag* —4B **28**
Pond Lees Clo. *Dag* —6D **28**
Pond Wlk. *Upm* —5A **32**
Pontypool Wlk. *Romf* —3A **12**
Poole Rd. *Horn* —5D **22**
Poplar Dri. *Hut* —2C **4**
Poplar St. *Romf* —2C **20**
Poplar Way. *Ilf* —2G **17**
Poppy Clo. *Pil H* —1D **2**
Porchester Clo. *Horn* —4C **22**
Porters Av. *Dag* —5D **26**
Porters Dri. *Brtwd* —4C **2**
Portia Ct. *Bark* —6C **26**
Portland Clo. *Romf* —3G **19**
Portland Gdns. *Romf* —3F **19**
Portmadoc Ho. Romf —1C **12**
(off Broseley Rd.)
Portman Dri. *Wfd G* —6B **6**
Portmore Gdns. *Romf* —2A **10**
Portnoi Clo. *Romf* —6D **10**
Postway M. *Ilf* —2F **25**
(in two parts)
Powell Gdns. *Dag* —3A **28**
Pownsett Ter. *Ilf* —4G **25**
Poynings Way. *H Wood* —5C **12**
Prescott Clo. *Horn* —6H **21**
Prestbury Rd. *E7* —6A **24**
Preston Dri. *E11* —3A **16**
Preston Gdns. *Ilf* —4C **16**
Preston Ho. Dag —2A **28**
(off Uvedale Rd.)
Preston Rd. *Romf* —1B **12**
Prestwood Dri. *Romf* —2C **10**
Pretoria Rd. *Ilf* —4F **25**
Pretoria Rd. *Romf* —2C **20**

Priestley Gdns. *Romf* —4D **18**
Priests Av. *Romf* —6D **10**
Priests La. *Brtwd & Shenf* —3H **3**
Primrose Av. *Romf* —5D **18**
Primrose Ct. *Brtwd* —6E **3**
Primrose Glen. *Horn* —2C **22**
Primrose Hill. *Brtwd* —6E **3**
Princes Av. *Wfd G* —1A **6**
Princes Pk. *Rain* —6G **29**
Princes Rd. *Ilf* —2H **17**
Prince's Rd. *Romf* —3G **21**
Princes Way. *Hut* —5A **4**
Prior Rd. *Ilf* —2E **25**
Priors Pk. *Horn* —2A **30**
Priory Clo. *Pil H* —1C **2**
Priory Gro. *Romf* —1C **12**
Priory M. *Horn* —6H **21**
Priory Path. *Romf* —1C **12**
Priory Rd. *Bark* —6H **25**
Priory Rd. *Romf* —1C **12**
Prospect Pl. *Romf* —6C **10**
Prospect Rd. *Horn* —1D **22**
Prospect Rd. *Wfd G* —3A **6**
Prospect Way. *Hut* —1E **5**
Providence Pl. *Romf* —5H **9**
Pulborough Ho. Romf —4C **12**
(off Kingsbridge Cir.)
Purbeck Rd. *Horn* —5G **21**
Purland Clo. *Dag* —6H **19**
Purleigh Av. *Wfd G* —3C **6**
Purley Clo. *Ilf* —6E **7**
Putney Gdns. *Chad H* —3D **18**

Q
Quadrant Arc. *Romf* —3E **21**
Quakers Pl. *E7* —4B **24**
Quarles Clo. *Romf* —4A **10**
Quebec Rd. *Ilf* —4B **12**
Queenborough Gdns. *Ilf* —2E **17**
Queen Mary Clo. *Romf* —4F **21**
Queen's Av. *Wfd G* —2A **6**
Queens Gdns. *Upm* —2B **32**
Queen's Pk. Rd. *Romf* —5E **13**
Queens Rd. *Bark* —5G **25**
Queens Rd. *Brtwd* —6E **3**
Queens Theatre. —6B **22**
Queen St. *Romf* —4D **20**
Queen St. *War* —2E **15**
Queenswood Av. *Hut* —1D **4**
Queenswood Ho. Brtwd —5F **3**
(off Eastfield Rd.)
Quennell Way. *Hut* —3C **4**

R
Rabbits Rd. *E12* —3C **24**
Rachel Clo. *Ilf* —1H **17**
Radley Av. *Ilf* —3C **26**
Radleys Mead. *Dag* —5B **28**
Radnor Cres. *Ilf* —3D **16**
Radstock Ho. H Hill —2B **12**
(off Darlington Gdns.)
Raider Clo. *Romf* —5A **10**
Railway Pde. *Shenf* —3A **4**
Railway Sq. *Brtwd* —6E **3**
Railway St. *Romf* —5E **19**
Rainham Rd. *Horn* —4F **29**
Rainham Rd. N. *Dag* —1A **28**
Rainham Rd. S. *Dag* —3B **28**
Rainsford Way. *Horn* —6G **21**
Ramsay Gdns. *Romf* —5A **12**
Ramsden Dri. *Romf* —4A **10**
Ramsgill App. *Ilf* —2B **18**
Ramsgill Dri. *Ilf* —3B **18**
Rams Gro. *Romf* —2C **20**
Randall Dri. *Horn* —3A **30**
Randalls Dri. *Hut* —2C **5**
Randolph Gro. *Romf* —3E **19**
Ranelagh Gdns. *E11* —3A **16**
Ranelagh Gdns. *Ilf* —6D **16**
Raphael Av. *Romf* —1F **21**
Ratcliff Rd. *E7* —4A **24**
Ravenings Pde. *Ilf* —6C **18**
Ravenoak Way. *Chig* —2A **8**
Raven Rd. *E18* —6A **6**
Ravensbourne Cres. *Romf* —1D **22**
Ravensbourne Gdns. *Ilf* —5E **7**
Ravens Ct. *Brtwd* —4F **3**
Ravenscourt Clo. *Horn* —2C **30**
Ravenscourt Dri. *Horn* —1C **30**
Ravenscourt Gro. *Horn* —1C **30**
Ravensfield Clo. *Dag* —3F **27**
Ravenswood Clo. *Romf* —2B **10**
Rayburn Rd. *Horn* —5E **23**
Raydons Gdns. *Dag* —3G **27**
Raydons Rd. *Dag* —4G **27**

Rayleigh Clo. *Hut* —2C **4**
Rayleigh Rd. *Hut* —2B **4**
Rayleigh Rd. *Wfd G* —3A **6**
Ray Lodge Rd. *Wfd G* —3A **6**
Ray Massey Way. E6 —6C **24**
(off High St. N.)
Raymond Rd. *E13* —6A **24**
Raymond Rd. *Ilf* —5H **17**
Raynes Av. *E11* —5A **16**
Ray Rd. *Romf* —2B **10**
Reads Clo. *Ilf* —2F **25**
Recreation Av. *H Wood* —6D **12**
Recreation Av. *Romf* —3C **20**
Rectory Cres. *E11* —4A **16**
(in two parts)
Rectory Gdns. *Upm* —1H **31**
Rectory Rd. *E12* —4D **24**
Rectory Rd. *Dag* —5B **28**
Redbridge. —4B **16**
Redbridge Enterprise Cen. *Ilf* —1G **25**
Redbridge La. E. *Ilf* —4B **16**
Redbridge La. W. *E11* —4A **16**
Redbridge Roundabout. (Junct.)
—4A **16**
Redcar Rd. *Romf* —2D **12**
Redcliffe Gdns. *Ilf* —6E **17**
Redden Ct. *Romf* —6D **12**
Redden Ct. Rd. *Romf* —1C **22**
Redfern Gdns. *Romf* —6B **12**
Redo Ho. E12 —4E **25**
(off Dore Av.)
Red Post Ho. *E6* —6B **24**
Redriff Rd. *Romf* —6B **10**
Red Rd. *War* —1D **14**
Redruth Gdns. *Romf* —2D **12**
Redruth Rd. *Romf* —2D **12**
Redruth Wlk. *Romf* —2D **12**
Redwing Ct. *H Hill* —4B **12**
Redwood Gdns. *Chig* —2C **8**
Reede Gdns. *Dag* —4B **28**
Reede Rd. *Dag* —5A **28**
Reede Way. *Dag* —5B **28**
Reed Pond Wlk. *Romf* —6F **11**
Reesland Clo. *E12* —5E **25**
Regarder Rd. *Chig* —2C **8**
Regarth Av. *Romf* —4E **21**
Regency Clo. *Chig* —2G **7**
Regency Ct. *Brtwd* —5E **3**
Regency Gdns. *Horn* —5A **22**
Regent Gdns. *Ilf* —5C **18**
Regent Ho. *Brtwd* —6D **2**
Reginald Rd. *Romf* —5E **13**
Reigate Rd. *Ilf* —1B **26**
Remembrance Av. *Romf* —3B **24**
Renown Clo. *Romf* —5A **10**
Repton Av. *Horn* —1G **21**
Repton Ct. *Ilf* —5D **6**
Repton Dri. *Romf* —2G **21**
Repton Gdns. *Romf* —1G **21**
Repton Gro. *Ilf* —5D **6**
Repulse Clo. *Romf* —5A **10**
Retford Clo. *Romf* —3E **13**
Retford Path. *Romf* —3E **13**
Retford Rd. *Romf* —3D **12**
Retreat, The. *Brtwd* —4D **2**
Retreat, The. *Hut* —2B **4**
Reubens Rd. *Hut* —2B **4**
Rex Clo. *Romf* —4B **10**
Reydon Av. *E11* —3A **16**
Reynolds Av. *E12* —4E **25**
Reynolds Av. *Chad H & Romf*
—5E **19**
Reynolds Ct. *Romf* —1F **19**
Ribble Clo. *Wfd G* —3A **6**
Richard Fell Ho. E12 —3E **25**
(off Walton Rd.)
Richards Av. *Romf* —4C **20**
Riches Rd. *Ilf* —1G **25**
Richmond Clo. *E7* —4A **24**
Richmond Rd. *Ilf* —2G **25**
Richmond Rd. *Romf* —4F **21**
Ridgemont Pl. *Horn* —4B **22**
Ridgeway. *Hut* —4B **4**
Ridge Way. *Wfd G* —1A **6**
Ridgeway Gdns. *Ilf* —3C **16**
Ridgeway, The. *Gid P* —2G **21**
Ridgeway, The. *H Wood* —5D **12**
Ridgewell Clo. *Dag* —6B **28**
Ridings, The. *Chig* —1D **8**
Ridley Clo. *Bark* —6B **26**
Ridley Clo. *Romf* —5H **11**
Ridley Rd. *E7* —3A **24**
Riffhams. *Brtwd* —6B **4**
Rigby M. *Ilf* —1E **25**
Ringwood Av. *Horn* —1B **30**

Ripley Rd. *Ilf* —1B **26**
Ripon Gdns. *Ilf* —4C **16**
Ripon Ho. *Romf* —3B **12**
  (off Dartfields)
Ripple Rd. *Bark & Dag* —6G **25**
Risebridge Chase. *Romf* —4F **11**
Risebridge Rd. *Romf* —6F **11**
Rise Park. —5E 11
Rise Pk. Boulevd. *Romf* —5F **11**
Rise Pk. Pde. *Romf* —6E **11**
Riseway. *Brtwd* —6G **3**
Risings Ter. *Horn* —1D **22**
  (off Prospect Rd.)
River Clo. *E11* —4A **16**
Riverdene Rd. *Ilf* —2E **25**
River Dri. *Upm* —4G **23**
River Rd. *Brtwd* —1B **14**
Riversdale Rd. *Romf* —4B **10**
Riverside Clo. *Chig* —1B **8**
Riverside Works. *Bark* —6F **25**
Rivington Av. *Wfd G* —6B **6**
Rixsen Rd. *E12* —4C **24**
Robert Clo. *Chig* —2B **8**
Roberts Clo. *Romf* —5H **11**
Robin Clo. *Romf* —4D **10**
Robin Hood Rd. *Brtwd* —3D **2**
Robinia Clo. *Ilf* —3A **8**
Robinson Clo. *Horn* —6H **29**
Robinson Rd. *Dag* —3A **28**
Roborough Wlk. *Horn* —5A **30**
Rochester Gdns. *Ilf* —5D **16**
Rochford Av. *Brtwd* —3E **19**
Rochford Av. *Shenf* —1A **4**
Rochford Clo. *Horn* —5H **29**
Rockchase Gdns. *Horn* —4C **22**
Rock Gdns. *Dag* —4B **28**
Rockingham Av. *Horn* —4H **21**
Rockleigh Ct. *Shenf* —3A **4**
Rockwell Rd. *Dag* —4B **28**
Roden St. *Ilf* —2E **25**
Roden Way. *Ilf* —2E **25**
  (off Roden St.)
Roding. *Brtwd* —4D **2**
Roding Av. *Wfd G* —3C **6**
RODING HOSPITAL (BUPA). —1B 16
Roding La. N. *Wfd G* —3C **6**
Roding La. S. *Ilf & Wfd G* —2B **16**
Rodings, The. *Upm* —4H **23**
Rodings, The. *Wfd G* —3A **6**
Roding Trad. Est. *Bark* —6F **25**
Rodney Rd. *E11* —2A **16**
Rodney Way. *Romf* —5B **10**
Roebuck Rd. *Ilf* —2D **8**
Roebuck Trad. Est. *Ilf* —3D **8**
Roedean Dri. *Romf* —2E **21**
Roger Reede's Almshouses.
  Romf —2E **21**
Rogers Gdns. *Dag* —4A **28**
Roger's Ho. *Dag* —2A **28**
Rogers Rd. *Dag* —4A **28**
Roles Gro. *Romf* —2F **19**
Roll Gdns. *Ilf* —3E **17**
Roman Rd. *Ilf* —2F **19**
Rom Cres. *Romf* —5F **21**
Romford. —3E 21
Romford Greyhound Stadium. —4C **20**
Romford Ice Rink. —5E **21**
Romford Rd. *E15 & E7* —4A **24**
Romford Rd. *Chig* —1D **8**
Romford Rd. *Romf* —1H **21**
Romney Chase. *Horn* —4E **23**
Romsey Gdns. *Dag* —6F **27**
Romsey Rd. *Dag* —6F **27**
Rom Valley Way. *Romf* —5E **21**
Ronald Rd. *Romf* —5E **13**
Roneo Corner. *Horn* —6F **21**
Roneo Link. *Horn* —6F **21**
Ron Leighton Way. *E6* —6C **24**
Rook Clo. *Horn* —6G **29**
Rookery Cres. *Dag* —6B **28**
Roosevelt Way. *Dag* —5D **28**
Rosalind Ct. *Bark* —6C **26**
  (off Meadow Rd.)
Roseacre Clo. *Horn* —5D **22**
Rose Av. *E18* —6A **6**
Rose Bank. *Brtwd* —6F **3**
Rosebank Av. *Horn* —4A **30**
Roseberry Clo. *Upm* —2B **32**
Roseberry Gdns. *Upm* —2A **32**
Rosebery Av. *E12* —5C **24**
Rosebury Ct. *Hut* —2D **4**
Rosebury Sq. *Wfd G* —4E **7**
Rosedale Gdns. *Dag* —6D **26**
Rosedale Rd. *E7* —4A **24**
Rosedale Rd. *Dag* —6D **26**

Rosedale Rd. *Romf* —6C **10**
Rosedene Gdns. *Ilf* —2E **17**
Rose Glen. *Romf* —6E **21**
Rosehatch Av. *Romf* —1F **19**
Rose La. *Romf* —1F **19**
Rosemary Av. *Romf* —1F **21**
Rosemary Dri. *Ilf* —3B **16**
Rosemary Gdns. *Dag* —6H **19**
Rosemead Gdns. *Hut* —1D **4**
Rosemount Clo. *Wfd G* —3D **6**
Rosepark Ct. *Ilf* —6D **6**
Rosetti Ter. *Dag* —3D **26**
  (off Marlborough Rd.)
Rose Valley. *Brtwd* —6E **3**
Rosewood Av. *Horn* —4G **29**
Roslyn Gdns. *Romf* —6F **11**
Rossall Clo. *Horn* —4G **21**
Ross Av. *Dag* —1H **27**
Rosslyn Av. *Dag* —5H **19**
Rosslyn Av. *Romf* —6D **12**
Rosslyn Rd. *Bark* —6H **25**
Roth Dri. *Hut* —5B **4**
Rothsay Rd. *E7* —6A **24**
Rothwell Gdns. *Dag* —6E **27**
Rothwell Rd. *Dag* —6E **27**
Rotunda, The. *Romf* —3D **20**
  (off Yew Tree Gdns.)
Roundaway Rd. *Ilf* —5D **6**
Roundwood Av. *Hut* —4A **4**
Roundwood Gro. *Romf* —3B **4**
Rover Av. *Ilf* —3B **8**
Rowallen Pde. *Dag* —6E **19**
Rowan Clo. *Ilf* —4H **25**
Rowan Grn. E. *Brtwd* —1H **15**
Rowan Grn. W. *Brtwd* —6H **3**
Rowan Wlk. *Horn* —2B **22**
Rowan Way. *Romf* —1E **19**
Rowdowns Rd. *Dag* —6H **27**
Rowhedge. *Brtwd* —6A **4**
Rowland Cres. *Chig* —1A **8**
Rowlands Rd. *Dag* —1H **27**
Rowney Gdns. *Dag* —5E **27**
Rowney Rd. *Dag* —5D **26**
Roxburgh Av. *Upm* —2G **31**
Roxwell Gdns. *Hut* —1C **4**
Roxwell Way. *Wfd G* —4A **6**
Roxy Av. *Romf* —5E **19**
Royal Clo. *Ilf* —5C **18**
Royal Pde. *Dag* —5B **28**
  (off Church St.)
Roycroft Clo. *E18* —5A **6**
Roy Gdns. *Ilf* —2A **18**
Royle Clo. *Romf* —3H **21**
Royston Gdns. *Ilf* —4B **16**
Royston Pde. *Ilf* —4B **16**
Royston Rd. *Romf* —4E **13**
Rugby Gdns. *Dag* —5E **27**
Rugby Rd. *Dag* —5D **26**
Rumford Shopping Hall. *Romf* —3E **21**
Runcorn Ho. *Romf* —3C **12**
  (off Kingsbridge Cir.)
Running Waters. *Brtwd* —1H **15**
  (in two parts)
Rural Clo. *Horn* —6H **21**
Rushdene Rd. *Brtwd* —3E **3**
Rushden Gdns. *Ilf* —6E **7**
Rushdon Clo. *Romf* —3G **21**
Rush Green. —6D 20
Rush Grn. Gdns. *Romf* —6C **20**
Rush Grn. Rd. *Romf* —6B **20**
Rushmere Av. *Upm* —2G **31**
Rusholme Av. *Dag* —2A **28**
Ruskin Av. *E12* —5C **24**
Ruskin Av. *Upm* —5G **23**
Ruskin Gdns. *Romf* —4H **11**
Rusper Rd. *Dag* —5E **27**
Russell Clo. *Brtwd* —3D **2**
Russell Gdns. *Ilf* —5H **17**
Russetts. *Horn* —2C **22**
Rustic Clo. *Upm* —4A **32**
Rutland App. *Horn* —3E **23**
Rutland Dri. *Horn* —3E **23**
Rutland Gdns. *Dag* —4E **27**
Rutland Rd. *E7* —6B **24**
Rutland Rd. *E11* —3A **16**
Rutland Rd. *Ilf* —2F **25**
Rutley Clo. *H Wood* —6B **12**
Ryder Gdns. *Rain* —5B **29**
Rye Clo. *Horn* —4A **30**
Ryecroft Av. *Ilf* —6F **7**

Sackville Cres. *Romf* —5C **12**
Sackville Gdns. *Ilf* —6D **16**
Saddleworth Rd. *H Hill* —3A **12**

Saddleworth Sq. *Romf* —3A **12**
Saffron Rd. *Romf* —6D **10**
St Alban's Av. *Upm* —5A **32**
St Albans Rd. *Ilf* —6B **18**
St Andrew's Av. *Horn* —4F **29**
St Andrew's Pl. *Shenf* —5H **3**
St Andrew's Rd. *Ilf* —5D **16**
St Andrew's Rd. *Romf* —4D **20**
St Annes Ter. *Ilf* —4A **8**
St Anthony's Av. *Wfd G* —3A **6**
St Awdry's Rd. *Bark* —6H **25**
St Awdry's Wlk. *Bark* —6G **25**
St Barnabas Rd. *Wfd G* —5A **6**
St Chad's Gdns. *Romf* —6B **20**
St Chad's Rd. *Romf* —5G **19**
St Charles Rd. *Brtwd* —4D **2**
St Clair Clo. *Ilf* —6D **6**
St Dunstan's Rd. *E7* —5A **24**
St Edmund's Rd. *Ilf* —4D **16**
St Edwards Way. *Romf* —3D **20**
St Erkenwald M. *Bark* —6H **25**
St Erkenwald Rd. *Bark* —6H **25**
St Ethelburga Ct. *Romf* —6E **13**
St Frances Way. *Ilf* —3H **25**
ST FRANCIS HOSPICE. —1E **11**
St Gabriel's Clo. *E11* —6A **16**
St George's Av. *E7* —6A **24**
St George's Av. *Horn* —5D **22**
St George's Ct. *Brtwd* —3D **2**
ST GEORGES HOSPITAL
  (HORNCHURCH). —4C **30**
St George's Rd. *E7* —5A **24**
St George's Rd. *Dag* —4G **27**
St George's Rd. *Ilf* —5D **16**
St George's Rd. *Romf* —6A **24**
St George's Sq. *E7* —6A **24**
St Giles Av. *Dag* —6B **28**
St Giles Clo. *Dag* —6B **28**
St Helen's Rd. *Ilf* —4D **16**
St Ives Clo. *Romf* —4D **12**
St Ivian's Dri. *Romf* —1G **21**
St James Ct. *Ilf* —1A **24**
St James Ct. *Romf* —2F **21**
St James Ho. *Romf* —3F **21**
  (off Eastern Rd.)
St James's Rd. *Brtwd* —6E **3**
St John's Av. *War* —1F **15**
St John's Clo. *Rain* —6G **29**
St John's Rd. *Ilf* —5A **18**
St Johns Rd. *Romf* —2C **10**
St John's Ter. *E7* —5A **24**
St Kathryn's Pl. *Upm* —1G **31**
St Kilda's Rd. *Romf* —3D **2**
St Lawrence Rd. *Upm* —1G **31**
St Leonard's Gdns. *Ilf* —4G **25**
St Leonards Hamlet. —6H 21
St Leonards Way. *Horn* —1H **29**
St Luke's Av. *Ilf* —4F **25**
St Luke's Path. *Ilf* —4F **25**
St Margaret's Rd. *E12* —1A **24**
St Martin's Clo. *Hut* —5C **4**
St Mary's App. *E12* —4C **24**
St Mary's Av. *E11* —5A **16**
St Mary's Av. *Shenf* —1A **4**
St Mary's La. *N Ock & Upm* —1E **31**
St Mary's Rd. *Ilf* —1H **25**
St Mary's Way. *Chig* —2E **7**
St Matthew's Clo. *Rain* —6G **29**
St Neot's Rd. *Romf* —4D **12**
St Nicholas Av. *Horn* —2G **29**
St Olave's Rd. *E6* —6B **25**
St Paul's Rd. *Bark* —6G **25**
St Peter's Clo. *Ilf* —2A **18**
St Peter's Rd. *War* —1D **14**
Saints Dri. *E7* —4B **24**
St Stephen's Cres. *Brtwd* —6A **4**
St Stephens Pde. *E7* —6A **24**
St Stephen's Rd. *E6* —6A **24**
St Thomas Gdns. *Ilf* —5G **25**
St Thomas' Rd. *Brtwd* —5F **3**
St Winefride's Av. *E12* —4D **24**
St Winifred's Clo. *Chig* —2G **7**
Salcombe Dri. *Romf* —4H **19**
Salisbury Av. *Bark* —6H **25**
Salisbury Av. *Upm* —5A **32**
Salisbury Rd. *E12* —4B **24**
Salisbury Rd. *Dag* —5B **28**
Salisbury Rd. *Ilf* —1A **26**
Salisbury Rd. *Romf* —3H **21**
Sally Murray Clo. *E12* —3E **25**
  (off Grantham Rd.)
Saltash Rd. *Ilf* —4H **7**
Sandgate Clo. *Romf* —5C **20**
Sandhurst Dri. *Ilf* —3B **26**
Sandown Av. *Dag* —5C **28**
Sandown Av. *Horn* —1B **30**

Sandpit La. *Pil H & S Wea* —4B **2**
Sandringham Clo. *Ilf* —1G **17**
Sandringham Gdns. *Ilf* —1G **17**
Sandringham Rd. *E7* —4A **24**
Sandringham Rd. *Bark* —4B **26**
Sandringham Rd. *Pil H* —2D **2**
Sands Way. *Wfd G* —3D **6**
Sandyhill Rd. *Ilf* —3F **25**
Sapphire Clo. *Dag* —6E **19**
Sarre Av. *Horn* —5A **30**
Saunton Rd. *Horn* —1G **29**
Saville Rd. *Romf* —4H **19**
Sawyers Clo. *Dag* —5C **28**
Sawyers Ct. *Shenf* —3H **3**
Sawyers Hall La. *Brtwd* —3E **3**
Saxon Clo. *Brtwd* —6A **4**
Saxon Clo. *Romf* —6D **12**
Saxon Rd. *Ilf* —5F **25**
School La. *Chig* —1B **8**
School Rd. *E12* —3D **24**
School Rd. *Dag* —6A **28**
School Way. *Dag* —2E **27**
Scoter Clo. *Wfd G* —4A **6**
Scotney Wlk. *Horn* —4A **30**
Scottes La. *Dag* —6F **19**
Scott Ho. *Horn* —4G **21**
  (off Benjamin Clo.)
Scotts Clo. *Horn* —4A **30**
Seabrook Gdns. *Romf* —5A **20**
Seabrook Rd. *Dag* —2F **27**
Seaforth Clo. *Romf* —4E **11**
Seaforth Gdns. *Wfd G* —2A **6**
Seaton Av. *Ilf* —4B **26**
Sebastian Av. *Shenf* —2A **4**
Sebert Rd. *E7* —3A **24**
Second Av. *E12* —3C **24**
Second Av. *Romf* —3E **19**
Sedgefield Clo. *Romf* —1D **12**
Sedgefield Cres. *Romf* —2D **12**
Sedgemoor Dri. *Dag* —3A **28**
Selborne Av. *E12* —3E **25**
Selborne Rd. *Ilf* —1E **25**
Selinas La. *Dag* —5G **19**
Selsdon Clo. *Romf* —5C **10**
Selwood Rd. *Brtwd* —6B **2**
Selwyn Av. *Ilf* —4B **18**
Seton Gdns. *Dag* —6E **27**
Settle Rd. *Romf* —1E **13**
Seven Arches Rd. *Brtwd* —5F **3**
Seven Kings. —6A 18
Seven Kings Rd. *Ilf* —6A **18**
Sevenoaks Clo. *Romf* —1A **12**
Seventh Av. *E12* —3D **24**
Severn Av. *Romf* —1H **21**
Severn Dri. *Upm* —4H **23**
Seymer Rd. *Romf* —2E **21**
Seymour Gdns. *Ilf* —6D **16**
Shafter Rd. *Dag* —6H **27**
Shaftesbury Rd. *E7* —6A **24**
Shaftesbury Rd. *Romf* —4F **21**
Shakespeare Cres. *E12* —5D **24**
Shakespeare Rd. *Romf* —4F **21**
Shakespeare Sq. *Ilf* —3G **7**
Shaw Clo. *Horn* —6H **21**
Shaw Cres. *Hut* —1D **4**
Sheepcotes Rd. *Dag* —2G **19**
Sheffield Dri. *Romf* —2E **13**
Sheffield Rd. *Ilf* —4B **10**
Sheila Clo. *Romf* —4B **10**
Sheila Rd. *Romf* —4B **10**
Sheilings, The. *Horn* —3D **22**
Sheldon Av. *Ilf* —6F **7**
Sheldon Rd. *Dag* —6G **27**
Shelley Av. *E12* —5C **24**
Shelley Av. *Horn* —1F **29**
Shelley Rd. *Hut* —3D **4**
Shenfield. —2A 4
Shenfield Cres. *Brtwd* —5G **3**
Shenfield Gdns. *Hut* —2B **4**
Shenfield Grn. *Shenf* —3A **4**
Shenfield Pl. *Shenf* —3G **3**
Shenfield Rd. *Brtwd & Shenf* —5F **3**
Shen Pl. Almshouses. *Brtwd* —5F **3**
Shenstone Gdns. *Romf* —5A **12**
Shepherds Clo. *Romf* —3F **19**
Shepherds Hill. *Romf & Upm* —6E **13**
Shepherd's Path. *Brtwd* —3A **2**
Shepley Clo. *Horn* —4B **30**
Sheppey Gdns. *Dag* —6E **27**
Sheppey Rd. *Dag* —6D **26**
Sherborne Gdns. *Romf* —2A **10**
Shere Rd. *Ilf* —3E **17**
Sheridan Clo. *Romf* —4A **12**
Sheridan Rd. *E12* —4C **24**
Sheringham Av. *E12* —3D **24**

Sheringham Av. Romf —4C 20
Sheringham Dri. Bark —4B 26
Sherrard Rd. E7 & E12 —5A 24
Sherry M. Bark —6H 25
Sherwood Av. E18 —1A 16
Sherwood Gdns. Bark —6H 25
Sherwood Rd. Ilf —2H 17
Shevon Way. Brtwd —1B 14
Shillibeer Wlk. Chig —1B 8
Shipton Clo. Dag —2F 27
Shirley Gdns. Bark —5A 26
Shirley Gdns. Horn —1A 30
Shoebury Rd. E6 —6D 24
Shortcrofts Rd. Dag —5H 27
Shorter Av. Shenf —3H 3
Shrewsbury Rd. E7 —4B 24
Shrubberies, The. Chig —2G 7
Shrubbery, The. Upm —2G 31
Shrublands Clo. Chig —3G 7
Sibley Gro. E12 —6D 24
Silver Birches. Hut —4A 4
Silver Birch M. Ilf —3G 7
Silverdale Av. Ilf —3A 18
Silverdale Dri. Horn —4H 29
Silvermere Av. Romf —3B 10
Silver Way. Romf —1B 20
Simpson Rd. Rain —5F 29
Sims Clo. Romf —2F 21
Singleton Clo. Horn —3F 29
Singleton Rd. Dag —4H 27
Sippets Ct. Ilf —6H 17
Sir Francis Way. Brtwd —5D 2
Sisley Rd. Bark —6B 26
Siviter Way. Dag —6B 28
Sixth Av. E12 —3D 24
Skeffington Rd. E6 —6D 24
Slaney Rd. Romf —3E 21
Slewins Clo. Horn —3A 22
Slewins La. Horn —3A 22
Smart Clo. Romf —5H 11
Smeaton Rd. Wfd G —2D 6
Snakes La. E. Wfd G —3A 6
Snakes La. W. Wfd G —3A 6
Snowdrop Path. Romf —4B 12
Snowshill Rd. E12 —4C 24
Somerby Rd. Bark —6H 25
Somersby Gdns. Ilf —3D 16
Somerset Gdns. Horn —6E 23
Somerville Rd. Romf —4E 19
Sorrel Wlk. Romf —1F 21
Southall Ho. Romf —3C 12
  (off Kingsbridge Cir)
Southall Way. Brtwd —1B 14
S. Boundary Rd. E12 —2D 24
Southbourne Gdns. Ilf —4G 25
Southbury Clo. Horn —4A 30
S. Cross Rd. Ilf —3G 17
Southdale. Chig —3H 7
Southdown Cres. Ilf —3A 18
Southdown Rd. Horn —5H 21
South Dri. E12 —2C 24
South Dri. Romf —1A 22
South Dri. War —1F 15
Southend Arterial Rd. Gid P &
  Romf —6A 12
Southend Rd. E6 —6D 24
S. End Rd. Rain & Horn —6G 29
Southern Way. Romf —4A 20
S. Esk Rd. E7 —5A 24
South Essex Crematorium. Upm
  —4H 31
S. Park Cres. Ilf —2H 25
S. Park Dri. Ilf & Bark —1A 26
S. Park Rd. Ilf —2H 25
S. Park Ter. Ilf —2A 26
S. Park Vs. Ilf —3A 26
South Rd. Chad H —4G 19
South Rd. L Hth —3E 19
Southsea Ho. H Hill —2B 12
  (off Darlington Gdns.)
South St. Brtwd —5E 3
South St. Romf —3E 21
  (in two parts)
Southview Cres. Ilf —4F 17
S. View Dri. E18 —1A 16
S. View Dri. Upm —2E 31
Southways Pde. Ilf —3E 17
South Weald. —5A 2
S. Weald Rd. Brtwd —6E 2
Southwold Dri. Bark —4C 26
S. Woodford to Barking
  Relief Rd. E11 & Bark —3B 16
Southwood Gdns. Ilf —2F 17
Sowrey Av. Rain —5F 29
Spalt Clo. Hut —5B 4

Sparks Clo. Dag —1F 27
Sparrow Grn. Dag —2B 28
Spearpoint Gdns. Ilf —3B 18
Spencer Clo. Wfd G —2A 6
Spencer Rd. Ilf —6B 18
Spenser Cres. Upm —5G 23
Spey Way. Romf —4E 11
Spilsby Rd. H Hill & Romf —4B 12
Spingate Clo. Horn —4B 30
Spinney Gdns. Dag —4G 27
Spinney, The. Hut —2C 4
Spital La. Brtwd —6B 2
Springbank Av. Horn —4A 30
Spring Clo. Dag —6F 19
Springfield Av. Hut —3E 5
Springfield Ct. Ilf —4F 25
Springfield Dri. Ilf —3G 17
Springfield Gdns. Upm —2F 31
Springfield Gdns. Wfd G —4A 6
Springfield Rd. E6 —6D 24
Spring Gdns. Horn —3H 29
Spring Gdns. Romf —3C 20
Spring Gdns. Wfd G —4A 6
Springpond Rd. Dag —4G 27
Springwood Way. Romf —3G 21
Spurgate. Hut —5A 4
Spurling Rd. Dag —5H 27
Spurway Pde. Ilf —3D 16
  (off Woodford Av.)
Squadrons App. Horn —5A 30
Square, The. Ilf —5E 17
Squires, The. Romf —4C 20
Squirrel's Heath. —1B 22
Squirrels Heath Av. Romf —1H 21
Squirrels Heath La. Romf &
  Horn —2A 22
Squirrels Heath Rd. Romf —1C 22
Squirrel's La. Buck H —1B 6
Stafford Av. Horn —1B 22
Stafford Ind. Est. Horn —1B 22
Stafford Rd. E7 —6A 24
Staggart Grn. Chig —2B 8
Staines Rd. Ilf —4G 25
Stainforth Rd. Ilf —5H 17
Stalham Way. Ilf —5F 7
Stamford Gdns. Dag —6E 27
Stamford Rd. Dag —6D 26
Standen Av. Horn —2C 30
Standfield Gdns. Dag —5A 28
Standfield Rd. Dag —4A 28
Stanford Clo. Romf —4B 20
Stanford Clo. Wfd G —2C 6
Stanhope Gdns. Dag —2H 27
Stanhope Gdns. Ilf —6D 16
Stanhope Rd. Dag —1H 27
Stanley Av. Dag —6H 19
Stanley Av. Romf —2G 21
Stanley Clo. Horn —1A 30
Stanley Clo. Romf —2G 21
Stanley Rd. E12 —4C 24
Stanley Rd. Horn —1A 30
Stanley Rd. Ilf —1H 25
Stansgate Rd. Dag —1A 28
Stansted Clo. Horn —5H 29
Stanway Clo. Chig —2A 8
Stanwyck Dri. Chig —2G 7
Stanwyck Gdns. H Hill —2H 11
Stapleford Av. Ilf —3A 18
Stapleford Gdns. Romf —3A 10
Stapleton Cres. Rain —5G 29
Starch Ho. La. Ilf —6H 7
Station App. Buck H —1B 6
Station App. Upm —1G 31
Station La. Horn —2B 30
Station Pde. Bark —6G 25
Station Pde. Buck H —1B 6
Station Pde. Dag —5A 28
Station Pde. Elm P & Horn —3H 29
Station Pde. Romf —4E 21
Station Rd. E12 —3C 24
Station Rd. B'side —1H 17
Station Rd. Chad H —5F 19
Station Rd. Chig —1F 7
Station Rd. Gid P —2H 21
Station Rd. H Wood —5D 12
Station Rd. Ilf —2F 25
Station Rd. Upm —2H 31
Station Sq. Gid P & Romf —2H 21
Station Way. Buck H —1A 6
Staverton Rd. Horn —4B 22
Steadman Ho. Dag —2A 28
  (off Uvedale Rd.)
Steed Clo. Horn —1H 29
Stephen Av. Rain —5G 29
Stephens Clo. Romf —2A 12

Sterry Cres. Dag —4A 28
Sterry Gdns. Dag —5A 28
Sterry Rd. Dag —4A 28
Stevenage Rd. E6 —5E 25
Stevens Rd. Dag —2D 26
Stevens Way. Chig —1A 8
Stewards Wlk. Romf —3E 21
Stewart Av. Upm —2F 31
Stewart Rainbird Ho. E12 —4E 25
  (off Parkhurst Rd.)
Stockdale Rd. Dag —1H 27
Stocker Gdns. Dag —6E 27
Stockland Rd. Romf —4D 20
Stoke Av. Ilf —3C 8
Stokes Cotts. Ilf —5G 7
Stonard Rd. Dag —4D 26
Stone Clo. Dag —1H 27
Stonehall Av. Ilf —4C 16
Stoneleigh Ct. Ilf —1C 16
Stoneleigh Rd. Ilf —1C 16
Stoneycroft Rd. Wfd G —3C 6
Storr Gdns. Hut —1D 4
Stour Rd. Dag —2A 28
Stour Way. Upm —2A 32
Stradbroke Dri. Chig —3E 7
Stradbroke Gro. Ilf —1C 16
Stradbroke Pk. Chig —3F 7
Strafford Av. Ilf —6E 7
Straight Rd. Romf —2H 11
Stratford Clo. Bark —6C 26
Stratford Clo. Dag —6C 28
Stratford Ho. Romf —3B 12
  (off Dartfields)
Strathfield Gdns. Bark —5H 25
Strathmore Gdns. Horn —6F 21
Stratton Dri. Bark —4A 26
Stratton Rd. Romf —2E 13
Stratton Wlk. Romf —2E 13
Strone Rd. E7 & E12 —5A 24
Strood Av. Romf —6D 20
Stroud Ho. Romf —2B 12
  (off Montgomery Cres.)
Stroud's Clo. Chad H —3D 18
Stuart Clo. Pil H —1D 2
Stuart Rd. Bark —6B 26
Stuarts. Horn —6D 22
  (off High St.)
Stubbers La. Upm —5H 31
Stubbs M. Dag —3D 26
  (off Marlborough Rd.)
Studley Dri. Ilf —4B 16
Studley Rd. E7 —5A 24
Studley Rd. Dag —6F 27
Stukeley Rd. E7 —6A 24
Sudbury Rd. Bark —4B 26
Sudburys Farm Rd. L Bur —6H 5
Suffolk Ct. Ilf —4A 18
Suffolk Rd. Bark —6H 25
Suffolk Rd. Dag —4C 28
Suffolk Rd. Ilf —4A 18
Suffolk Way. Horn —2E 23
Summit Dri. Wfd G —6B 6
Sunderland Way. E12 —1B 24
Sunflower Way. Romf —5B 12
Sungate Cotts. Romf —5H 9
Sunningdale Av. Bark —6H 25
Sunningdale Rd. Rain —6G 29
Sunnings La. Upm —4G 31
Sunnycroft Gdns. Upm —3B 32
Sunnydene Clo. Romf —4D 12
Sunnymede Dri. Ilf —3F 17
Sunnyside Gdns. Upm —2G 31
Sunnyside Rd. Ilf —2G 25
Sun Ray Av. Hut —2E 5
Sunrise Av. Horn —2A 30
Sunset Ct. Wfd G —4A 6
Sunset Dri. Hav —2H 11
Surman Cres. Hut —3C 4
Surrey Dri. Horn —3E 23
Surrey Rd. Bark —6A 26
Surrey Rd. Dag —4B 28
Susan Clo. Romf —1C 20
Susan Lawrence Ho. E12 —3E 25
  (off Walton Rd.)
Sussex Av. Romf —4D 12
Sussex Clo. Ilf —3D 16
Sussex Rd. War —1D 14
Suttons Av. Horn —2A 30
Suttons Gdns. Horn —2B 30
Suttons La. Horn —4B 30
Swallow Ct. Ilf —3F 17
Swallow Wlk. Horn —5H 29
Swan Av. Upm —4B 32
Swanbourne Dri. Horn —4A 30
Swan Paddock. Brtwd —5E 3

Swan Wlk. Romf —3E 21
Sweetland Ct. Dag —5D 26
Swift Clo. Upm —4A 32
Swindon Clo. Ilf —1A 26
Swindon Clo. Romf —2D 12
Swindon Gdns. Romf —2D 12
Swindon La. Romf —2D 12
Sycamore Av. Upm —2E 31
Sycamore Dri. Brtwd —4E 3
Sycamore Wlk. Ilf —2G 17
Sydenham Clo. Romf —1F 21
Sydney Rd. E11 —4A 16
Sydney Rd. Ilf —6G 7
Sylvan Av. Horn —4C 22
Sylvan Av. Romf —4H 19
Sylvan Way. Dag —3D 26
Sylvester Gdns. Ilf —2D 8
Sylvia Av. Hut —5C 4
Sylvia Pankhurst Ho. Dag —2A 28
  (off Wythenshawe Rd.)

Tabors Ct. Shenf —3A 4
Tabrums Way. Upm —3A 32
Tadlows Clo. Upm —4F 31
Tadworth Pde. Horn —3H 29
Takeley Clo. Romf —6D 10
Talbot Clo. Ilf —1C 26
Talbot Rd. Dag —5H 27
Talbrook. Brtwd —6B 2
Talgarth Ho. Romf —3C 12
  (off Kingsbridge Cir.)
Talisman Clo. Ilf —6D 18
Tallon Rd. Hut —1E 5
Tall Trees Clo. Horn —3C 22
Tally-Ho Dri. Hut —4H 5
Tamar Clo. Upm —2A 32
Tamar Sq. Wfd G —3A 6
Tangent Link. H Hill —5B 12
Tangmere Cres. Horn —5H 29
Tanners La. B'side & Ilf —1G 17
Tanner St. Bark —5G 25
Tannery Clo. Dag —2B 28
Tansy Clo. Romf —3C 12
Tantony Gro. Romf —1F 19
Tarnworth Rd. Romf —2E 13
Taunton Clo. Ilf —4A 8
Taunton Ho. Romf —2D 12
  (off Redcar Rd.)
Taunton Rd. Romf —1A 12
Tavistock Clo. Romf —5B 12
Tavistock Gdns. Ilf —3A 26
Tawny Av. Upm —4F 31
Taylor Clo. Romf —4A 10
Tay Way. Romf —5F 11
Tees Clo. Upm —5H 23
Tees Dri. Romf —1B 12
Telegraph M. Ilf —6C 18
Tempest Way. Rain —5G 29
Temple Av. Dag —6A 20
Temple Gdns. Dag —2F 27
Temple Rd. E6 —6C 24
Tenbury Clo. E7 —4B 24
Tenby Clo. Romf —4G 19
Tenby Rd. Romf —4G 19
Tendring Ct. Hut —1D 4
Tendring Rd. Romf —3E 19
Tennyson Av. E12 —6C 24
Tennyson Rd. Hut —3C 4
Tennyson Rd. Romf —4A 12
Tennyson Way. Horn —6F 21
Tenterden Rd. Dag —1H 27
Tercel Path. Chig —1D 8
Terling Rd. Dag —1A 28
Terlings, The. Brtwd —6C 2
Tern Gdns. Upm —4A 32
Tern Way. Brtwd —1A 14
Terrace Wlk. Dag —4G 27
Thackeray Dri. Romf —5C 18
Thal Massing Clo. Hut —5B 4
Thameshill Av. Romf —6C 10
Thatches Gro. Romf —2C 19
Thaxted Bold. Hut —1C 4
Thaxted Grn. Hut —1C 4
Thaxted Ho. Dag —6B 28
Thaxted Wlk. Rain —6E 29
Thetford Gdns. Dag —6G 27
Thetford Rd. Dag —6F 27
Theydon Gdns. Rain —6E 29
Theydon Gro. Wfd G —3A 6
Thicket Gro. Dag —5E 27
Third Av. E12 —3C 24
Third Av. Romf —4E 19
Thistledene Av. Romf —2B 10
Thomas Clo. Brtwd —5G 3

Wenham Gdns. *Hut* —2C **4**
Wensley Clo. *Romf* —2A **10**
Wensleydale Av. *Ilf* —6C **6**
Wentworth Rd. *E12* —3B **24**
Werneth Hall Rd. *Ilf* —1E **17**
Wessex Clo. *Ilf* —4A **18**
Westbourne Dri. *Brtwd* —1B **14**
Westbury Dri. *Brtwd* —5D **2**
Westbury Rd. *E7* —5A **24**
Westbury Rd. *Bark* —6H **25**
Westbury Rd. *Romf* —5E **3**
Westbury Rd. *Ilf* —1E **25**
Westbury Ter. *E7* —5A **24**
Westbury Ter. *Upm* —5A **32**
W. Dene Dri. *H Hill* —2B **12**
Western Av. *Brtwd* —4E **3**
Western Av. *Dag* —5C **28**
Western Av. *Romf* —6A **12**
Western Ct. *Romf* —3E **21**
  (off Chandlers Way)
Western Gdns. *Brtwd* —5E **3**
Western Pathway. *Rain & Horn*
  —6H **29**
Western Rd. *Brtwd* —5E **3**
Western Rd. *Romf* —3E **21**
Westernville Gdns. *Ilf* —5G **17**
Westfield Pk. Dri. *Wfd G* —3C **6**
Westfield Rd. *Dag* —3G **27**
West Gro. *Wfd G* —3A **6**
Westland Av. *Horn* —6C **22**
W. Malling Way. *Horn* —4A **30**
Westmede. *Chig* —3G **7**
Westminster Clo. *Ilf* —6H **7**
Westminster Gdns. *Ilf* —6G **7**
Westmoreland Av. *Horn* —3A **22**
Westmorland Ct. *E12* —1B **24**
Weston Clo. *Hut* —3C **4**
Westone Mans. *Bark* —6B **26**
  (off Upney La.)
Weston Grn. *Dag* —3H **27**
Weston Rd. *Dag* —3G **27**
W. Park Clo. *Romf* —3F **19**
W. Park Hill. *Brtwd* —6C **2**
West Rd. *Chad H* —4F **19**
West Rd. *Rush G* —5D **20**
Westrow Dri. *Bark* —4C **26**
Westrow Gdns. *Ilf* —1B **26**
Westview Dri. *Wfd G* —6B **6**
West Way. *Brtwd* —6C **2**
Westwood Av. *Brtwd* —1C **14**
Westwood Rd. *Ilf* —6B **18**
Weyland Rd. *Dag* —2H **27**
Whalebone Av. *Romf* —4H **19**
Whalebone Gro. *Romf* —4H **19**
Whalebone La. N. *Romf* —4G **9**
Whalebone La. S. *Romf & Dag* —5H **19**
Wharf Rd. *Brtwd* —6E **3**
Wheatfields. *Brtwd* —1E **15**
Wheatley Clo. *Horn* —3B **22**
Wheatley Mans. *Bark* —6C **26**
  (off Bevan Av.)
Wheatsheaf Rd. *Romf* —4F **21**
Wheeler Clo. *Wfd G* —3D **6**
Wheel Farm Dri. *Dag* —2C **28**
Whistler M. *Dag* —4C **26**
  (off Fitzstephen Rd.)
Whitchurch Rd. *Romf* —1B **12**
White Gdns. *Dag* —5A **28**
White Gates. *Horn* —1A **30**

White Hart La. *Brtwd* —5E **3**
White Hart La. *Romf* —5A **10**
Whitelands Way. *Romf* —5B **12**
White Lyons Rd. *Brtwd* —5E **3**
Whites Av. *Ilf* —4A **18**
Whitethorn Gdns. *Horn* —4A **22**
Whitfield Rd. *E6* —6A **24**
Whiting Av. *Bark* —6F **25**
Whitings. *Ilf* —3A **18**
Whitmore Av. *H Wood* —6C **12**
Whitney Av. *Ilf* —2B **16**
Whittaker Rd. *E6* —6A **24**
Whitta Rd. *E12* —3B **24**
Whittington Rd. *Hut* —2C **4**
Whitworth Cen., The. *Noak H* —2A **12**
Whyteville Rd. *E7* —5A **24**
Wickets Way. *Ilf* —3B **8**
Wickford Clo. *Romf* —2D **12**
Wickford Dri. *Romf* —2D **12**
Wid Clo. *Hut* —1D **4**
Widecombe Clo. *Romf* —5B **12**
Widecombe Gdns. *Ilf* —2C **16**
Widworthy Hayes. *Hut* —4B **4**
Wigley Bush La. *S Wea* —5A **2**
Wigram Rd. *E11* —4A **16**
Wigton Rd. *Romf* —1C **12**
Wigton Way. *Romf* —1C **12**
Wilkes Rd. *Hut* —1D **4**
William Clo. *Romf* —5C **10**
William Hunter Way. *Brtwd* —5E **3**
William Pike Ho. *Romf* —4D **20**
  (off Waterloo Gdns.)
William St. *Bark* —6G **25**
Willingale Clo. *Hut* —2E **5**
Willingale Clo. *Wfd G* —3A **6**
Willoughby Dri. *Rain* —6E **29**
Willow Clo. *Romf* —2H **29**
Willow Clo. *Hut* —2B **4**
Willowdene. *Pil H* —1B **2**
Willowdene Ct. *War* —1E **15**
Willowherb Wlk. *Romf* —4A **12**
Willow Pde. *Upm* —4A **32**
Willow Rd. *E12* —2D **24**
Willow Rd. *Romf* —4G **19**
Willows, The. *E6* —6D **24**
Willow St. *Romf* —2C **20**
Willow Wlk. *Ilf* —1F **25**
Willow Wlk. *Romf* —4A **32**
Willow Way. *Romf* —3F **13**
Wilmington Gdns. *Bark* —5H **25**
Wilmot Grn. *Gt War* —3E **15**
Wilmslow Ho. *Romf* —2C **12**
  (off Chudleigh Rd.)
Wilson Rd. *Ilf* —5D **16**
Wilsons Corner. *Brtwd* —5F **3**
  (off High St.)
Wilthorne Gdns. *Dag* —6B **28**
Wilton Dri. *Romf* —4C **10**
Wiltshire Av. *Horn* —2D **22**
Wiltshire Ct. *Ilf* —5G **25**
Wincanton Gdns. *Ilf* —1F **17**
Wincanton Rd. *Romf* —1B **12**
Winchester Av. *Upm* —4B **32**
Winchester Ho. *Bark* —6C **26**
  (off Keir Hardie Way)
Winchester Rd. *Ilf* —2H **25**
Windermere Av. *Horn* —4G **29**
Windermere Gdns. *Ilf* —3C **16**
Winding Way. *Dag* —2E **27**

Windmill Clo. *Upm* —1E **31**
Windsor Rd. *E7* —4A **24**
Windsor Rd. *Dag* —2G **27**
Windsor Rd. *Horn* —5A **22**
Windsor Rd. *Ilf* —3F **25**
Windsor Rd. *Pil H* —2D **2**
Windy Hill. *Hut* —4C **4**
Wingate Rd. *Ilf* —4F **25**
Wingfield Clo. *Brtwd* —6A **4**
Wingfield Gdns. *Upm* —2A **32**
Wingletye La. *Horn* —2D **22**
Wingrave Cres. *Brtwd* —1A **14**
Wingrove Ct. *Romf* —3C **20**
Wing Way. *Brtwd* —4E **3**
Winifred Av. *Horn* —3B **30**
Winifred Dell Ho. *Gt War* —3E **15**
Winifred Rd. *Dag* —1G **27**
Winmill Rd. *Dag* —2H **27**
Winningales Ct. *Ilf* —6C **6**
Winstead Gdns. *Dag* —4C **28**
Winston Clo. *Romf* —2B **20**
Winston Way. *Ilf* —2F **25**
Winterbourne Rd. *Dag* —1E **27**
Wisdons Clo. *Dag* —6B **20**
Wistaria Clo. *Pil H* —1E **3**
Wisteria Clo. *Ilf* —4F **25**
Witham Rd. *Dag* —4A **28**
Witham Rd. *Romf* —3H **21**
Witherings, The. *Horn* —3C **22**
Wittering Wlk. *Horn* —5A **30**
Wix Rd. *Dag* —6F **27**
Woburn Av. *Horn* —3G **29**
Wolferton Rd. *E12* —3D **24**
Wolseley Rd. *E7* —6A **24**
Wolseley Rd. *Romf* —5D **20**
Wolsey Gdns. *Ilf* —3F **7**
Wolverton Ho. *Romf* —2C **12**
  (off Chudleigh Rd.)
Woodbridge Ct. *Romf* —1B **12**
Woodbridge Ct. *Wfd G* —4C **6**
Woodbridge La. *Romf* —1B **12**
Woodbridge Rd. *Bark* —4B **26**
Woodcote Av. *Horn* —3G **29**
Woodfield Dri. *Romf* —2G **21**
Woodfield Way. *Horn* —6B **22**
Woodfines, The. *Horn* —4B **22**
Woodford. —3A 6
Woodford Av. *Ilf* —1B **16**
Woodford Bridge. —3C 6
Woodford Bri. Rd. *Ilf* —1B **16**
Woodford Trad. Est. *Wfd G* —6B **6**
Woodford Wells. —1A 6
Woodhall Cres. *Horn* —5D **22**
Woodhaven Gdns. *Ilf* —2G **17**
Woodhouse Gro. *E12* —5C **24**
Woodland Av. *Hut* —1C **4**
Woodland Clo. *Hut* —1C **4**
Woodlands Av. *E11* —6A **16**
Woodlands Av. *Horn* —3B **22**
Woodlands Av. *Romf* —5G **19**
Woodlands Rd. *H Wood* —5E **13**
Woodlands Rd. *Ilf* —2G **25**
Woodlands Rd. *Romf* —1F **21**
Wood La. *Dag* —3E **27**
Wood La. *Horn* —4G **29**
Woodman Path. *Ilf* —3A **8**
Woodman Rd. *War* —2E **15**
Woodrush Way. *Romf* —2F **19**
Woodshire Rd. *Dag* —2B **28**

Woodside Clo. *Hut* —1D **4**
Woodside Ct. *E12* —6A **16**
Woodstock Av. *Romf* —2F **13**
Woodstock Gdns. *Ilf* —1C **26**
Woodstock Rd. *E7* —6A **24**
Woodville Gdns. *Ilf* —1F **17**
Woodville Rd. *E18* —6A **6**
Woodward Gdns. *Dag* —6E **27**
Woodward Rd. *Dag* —6D **26**
Woodway. *Shenf & Hut* —4A **4**
Woolhampton Way. *Chig* —1D **8**
Wootton Clo. *Horn* —3B **22**
Worcester Av. *Upm* —5B **32**
Worcester Cres. *Wfd G* —1A **6**
Worcester Gdns. *Ilf* —5C **16**
Worcester Rd. *E12* —3D **24**
Wordsworth Av. *E12* —6C **24**
Wordsworth Clo. *Romf* —5A **12**
Worrin Clo. *Shenf* —4H **3**
Worrin Rd. *Shenf* —5H **3**
Wortley Rd. *E6* —6B **24**
Wray Av. *Ilf* —1E **17**
Wray Clo. *Horn* —5A **22**
Wren Gdns. *Dag* —4F **27**
Wren Gdns. *Horn* —6F **21**
Wren Pl. *Brtwd* —6F **3**
Wren Rd. *Dag* —4F **27**
Wrexham Rd. *Romf* —1B **12**
Wrights Clo. *Dag* —3B **28**
Wrington Ho. *Romf* —2D **12**
  (off Redruth Rd.)
Writtle Wlk. *Rain* —6E **29**
Wroxall Rd. *Dag* —5E **27**
Wroxham Way. *Ilf* —5F **7**
Wych Elm Clo. *Horn* —5E **23**
Wych Elm Rd. *Horn* —4E **23**
Wychwood Gdns. *Ilf* —2D **16**
Wycombe Rd. *Ilf* —3D **16**
Wyfields. *Ilf* —5F **7**
Wyhill Wlk. *Dag* —6C **28**
Wykeham Av. *Dag* —5E **27**
Wykeham Av. *Horn* —4B **22**
Wykeham Grn. *Dag* —5E **27**
Wymans Way. *E7* —3A **24**
Wyndham Rd. *E6* —6B **24**
Wynndale Rd. *E18* —4A **6**
Wythenshawe Rd. *Dag* —2A **28**

Yale Way. *Horn* —3G **29**
Yellowpine Way. *Chig* —1D **8**
Yelverton Clo. *Romf* —5B **12**
Yeomen Way. *Ilf* —3G **7**
Yevele Way. *Horn* —5C **22**
Yew Tree Clo. *Hut* —2B **4**
Yew Tree Gdns. *Chad H* —3G **19**
Yew Tree Gdns. *Romf* —3D **20**
Yew Tree Lodge. *Romf* —3D **20**
  (off Yew Tree Gdns.)
York Clo. *Shenf* —3H **3**
York M. *Ilf* —2E **25**
York Pl. *Dag* —5C **28**
York Pl. *Ilf* —1E **25**
York Rd. *Ilf* —2E **25**
York Rd. *Rain* —6D **28**
York Rd. *Shenf* —3H **3**
Youngs Rd. *Ilf* —3H **17**
Yoxley App. *Ilf* —4G **17**
Yoxley Dri. *Ilf* —4G **17**